# 研究者は天職！

## 基礎研究、研究開発は<br>どう進めるか？

藤田 玲子

東京図書出版

# 研究者は天職！

―基礎研究、研究開発はどう進めるか？―

◇目次

# 0 はじめに

技術立国を目指す、目指していた日本は最近、本来のイノベーションと言われる事象が極めて少なくなってきている。

引用件数（インパクトファクター）の多い論文も減少しつつあり、破竹の勢いの中国にほぼ、すべての分野で抜かれつつある。それを認めたがらない研究者もいるが、資源の少ない日本が将来も先進国であり続けるためには、イノベーションを生む土壌を育み続けることが重要である。

既に言われていることであるが、２０００年代になって我が国では毎年、ノーベル賞を受賞される方がおられるので、政府も大学や研究機関も安心している？　あるいは慢心している？　ように見受けられる。しかし、現在のこの状況は１９８０年代～２０００年代初頭まで基礎研究に予算が多く配分された成果である。２０００年代に入って、大学改革などある意味で逆方向とも思われるようないろいろな施策がなされたことにより、今後、特に２０２０年代以降はノーベル賞など海外のメジャーな賞の受賞が減ることが予想される。

そのような国の施策についての問題は別の機会に議論するとして、本書では本来、研究者が研究を始めたり、進めたりする際に持つべきイノベーションの考え方や研究開発、技術開発の進め方について、筆者の拙い経験を紹介したいと思う。

研究は大学や研究機関だけでなく、企業の中にある研究組織でもできる。企業の研究所は決められたミッションをしていれば、自由度もあり、やり方によって研究者を楽しめる。研究者はとても魅力ある職業である！

本書は研究開発の進め方の一例を記録として残すために記したものである。技術立国を目指す日本の若手の研究者に参考にしていただければ幸いである。

# 1 イノベーションを起こすには?

〃イノベーション〃という言葉は結構難しく聞こえるかもしれない。しかしながら、ちょっと論理的に考えることにより、いくらでもその種（シーズ）を得ることができる。

それではどのように進めるか？

**まずはニーズを正確に把握することである。**

世の中で何が今、必要とされているか？ を考える。すなわち、ニーズを把握する。

研究者が自分で研究テーマを探すとき、あるいは企業経営者が世の中に新しい製品を出すとき、いずれも〃イノベーション〃ということを考えて研究や製品開発に着手するのではない。ニーズは何かを考え、正確に把握すると、必然的にイノベーションを起こすことができる。

言うまでもなく、イノベーションには大きく2種類あり、今の技術の改良を目指す〝連続的イノベーション〟と、世の中で当たり前と思われている常識を変える新しい概念や価値を創出する〝破壊的(非連続的)イノベーション〟とがある。これは2012～2018年に総合科学技術・イノベーション会議の有識者議員をされ、現在は農業・食品産業技術総合研究機構(農研機構)の理事長でおられる久間和生先生も提唱されておられたが、企業ではよく言われている考え方である。

2019年にノーベル化学賞を受賞された〝リチウムイオン電池〟はまさしく後者であり、世の中を変える力を持って

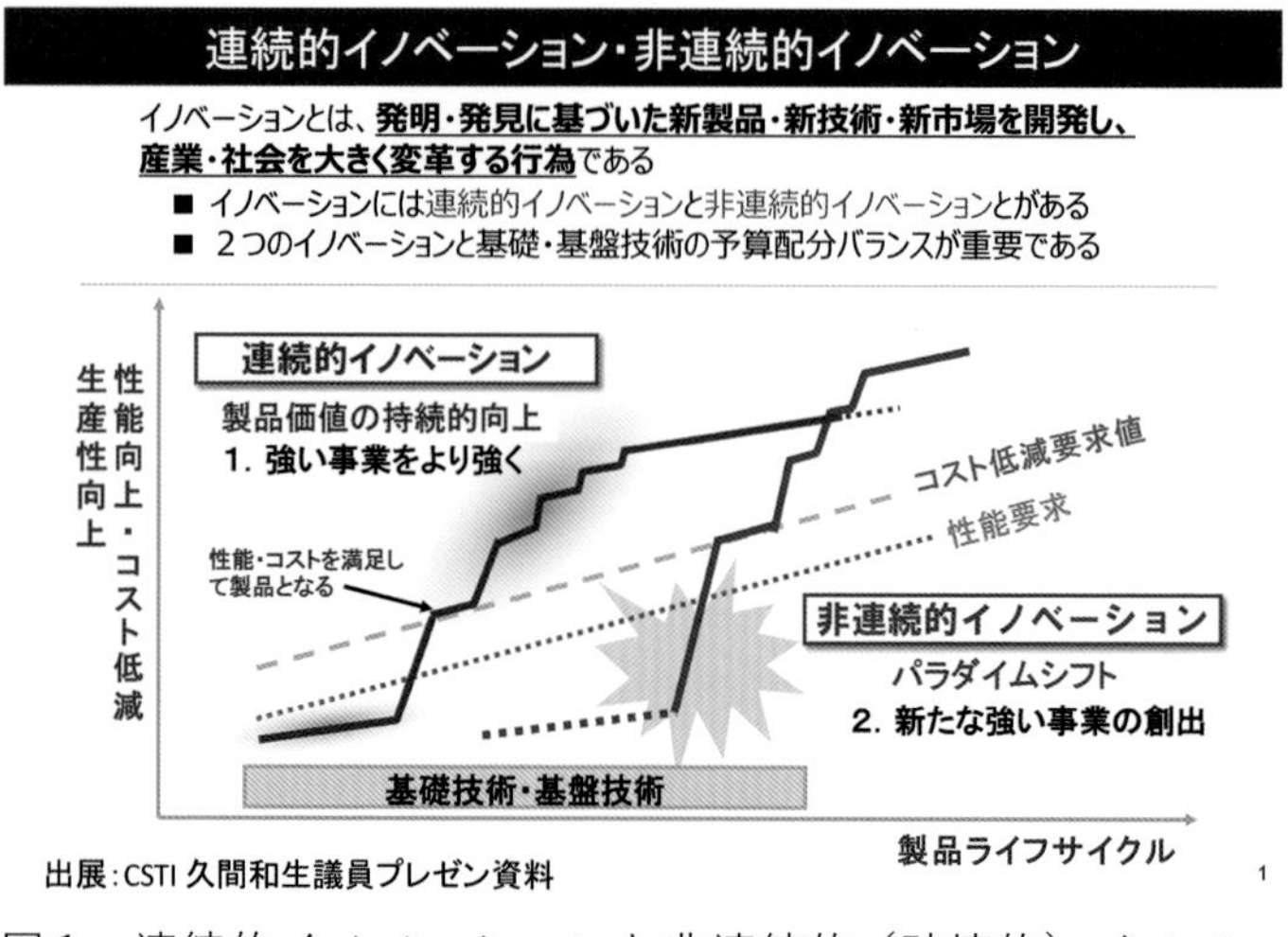

出展：CSTI 久間和生議員プレゼン資料

図1　連続的イノベーションと非連続的(破壊的)イノベーション

いる。

イノベーションを起こすにはまず、世の中で何が必要とされているか、ニーズは何かを考えることが、第一歩である。

とは言っても自分が専攻していない分野で何が社会から必要とされているかを考えることは難しい。そこは無理をせずに自分の専攻している分野で社会から何が必要とされているかを考えれば良い。

これは研究者の余暇の趣味として、とても楽しい！　たとえ、今やっている研究や技術開発が行き詰まっていたとしてもそれは横において、この時間は研究者にとって至福の時間であり、貴重である。

勿論、企業の経営者も常に新しい製品を出すために社会のニーズを把握することにより新しいコンセプトの製品を考え、事業を行っている。社会のニーズを正確に把握すれば、新しい製品、例えばウォークマンやiPhoneを世の中に出すことができる。

その進め方を大雑把に記すと次のようになる。

## ①ニーズを整理、正確に把握

②シーズを絞りこむ
③シーズが存在しない場合は新たな概念（コンセプト）を創造する
④シーズもしくはコンセプトの基本的な原理を選ぶ
⑤原理を実現する研究テーマを提案する
⑥原理の成立性を示す基礎研究
⑦社会実装を目的とした応用研究（原理の成立する条件および範囲を明確にする）
⑧実用化開発（社会実装するための技術開発）

ニーズを掴んで社会に求められる技術や製品を研究開発する手法について考えてみる。

①ニーズの把握

ニーズを的確に把握することは極めて重要である。ニーズを把握した後の進め方は図2に示す通りである。

次に研究開発の進め方について述べる。

②シーズを調査し、絞り込む

コンセプトを実現するシーズを徹底的に文献調査し、選定することも次に重要となる。シーズを誤ると全く異なるコンセプトになったり、コンセプトが実現しないことにもなる。

また、シーズの選定には〝技術の目利き〟が必要である。幅広く、原理や技術に知識と想像力を持つ方々が討議して絞り込む必要がある。若手の研究者から出てきた新しいアイデアを〝目利き〟あるいはその分野の権威がサポートしてより良い研究となるアドバイスをすることが重要であり、シニアが能力を発揮できる良い機会でもある。

iPhoneでも、スクロールする技術、画面

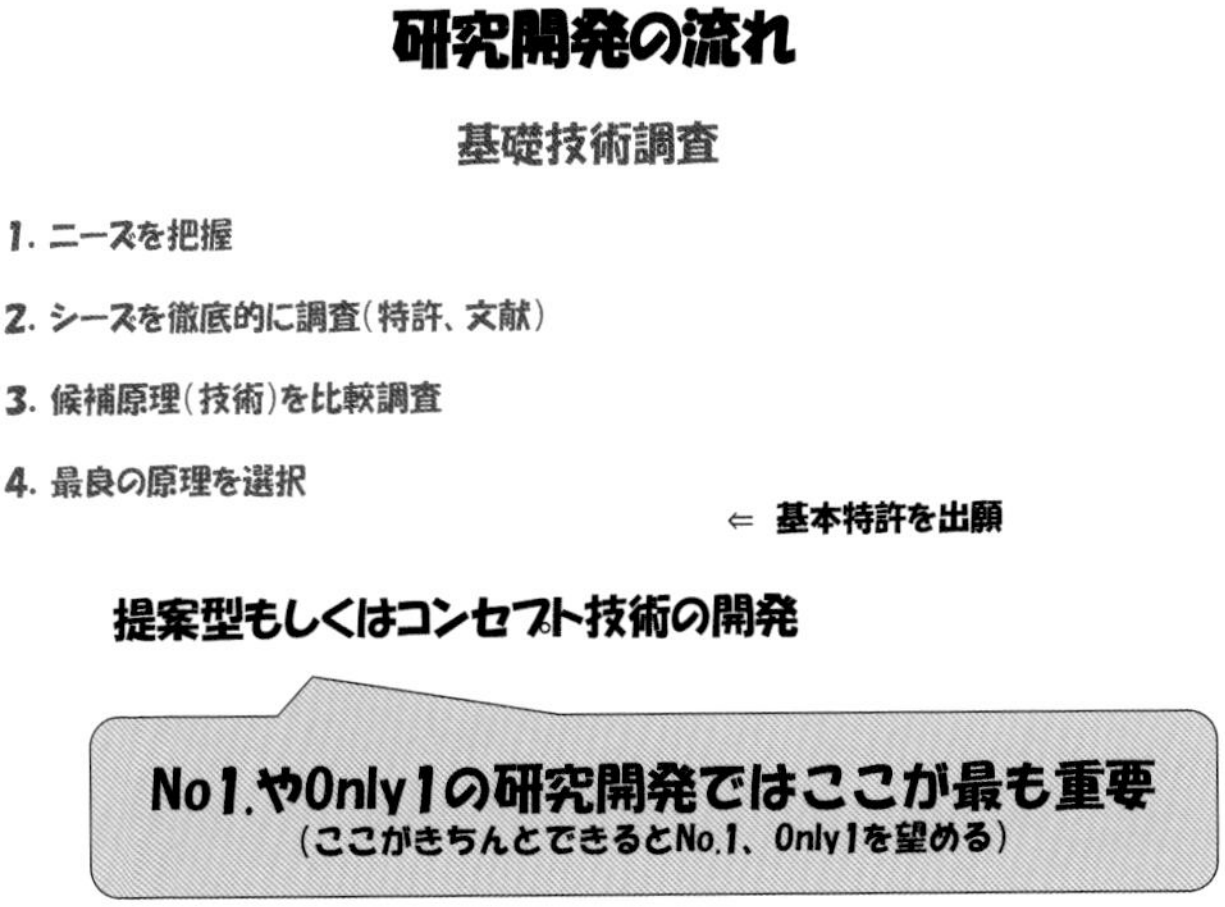
研究開発の流れ
基礎技術調査
1. ニーズを把握
2. シーズを徹底的に調査（特許、文献）
3. 候補原理（技術）を比較調査
4. 最良の原理を選択
⇐ 基本特許を出願
提案型もしくはコンセプト技術の開発
No1.やOnly1の研究開発ではここが最も重要
（ここがきちんとできるとNo.1、Only1を望める）

図２　基礎研究開発の進め方

のタッチ、電話機がパソコンの機能を持つというコンセプトをシーズに落とし込んでまとめた創造性は際立っており、携帯電話の概念を変えたとも言える。

③新たな概念（コンセプト）を創造、構築する

ニーズに合ったシーズを直ぐに選定できればそれが一番であるが、シーズが見つからない場合はニーズをコンセプトに落とし込むことも重要である。時にはそれまでの世の中にないコンセプトになったり、新しいコンセプトが世の中を変えることもあったり、研究者にその創造性が求められる。逆に新しいコンセプトを構築できれば研究者冥利に尽きるとも言える。

その良い例としてはウォークマンやiPhone、iPadがある。これらのコンセプトは残念ながら、研究者というより経営者がコンセプトを構築した良い例である。リチウムイオン電池もある意味では電池の形にまとめられた元ソニー㈱の西美緒氏がコンセプトを構築、実現したとも言える。

実は新しいコンセプトを構築できると、その研究開発は必ずと言っていいほど、学術賞など数々の賞の受賞することができる！　受賞は間違いなしである。

ここで、筆者の拙い経験を紹介する。

## A　レドックス除染法の開発（1983－1988）[1)〜4)]：日本原子力学会RWM賞受賞（1994）

原子力発電所から発生する工具などの金属製の汚染された放射性廃棄物を除染と言って放射性物質を取り除き、一般の廃棄物と同じ放射能レベルにする必要がある。除染という言葉は東京電力㈱福島第一原子力発電所事故から有名になったが実際には放射能を除くというより、放射性の物質を多く含む部分とほとんど含まない部分に分けるという意味である。蛇足だが、放射能を多く含む部分、すなわち放射能濃度が高い部分を放射性廃棄物として決められた場所に処分するのである。放射性廃棄物を少しでも少なくすることはとても重要な命題であるので、この除染する液（除染剤）の発生量を低減するために除染剤を電気化学的に再生することのできる技術を開発した。このコンセプトは除染による廃液の発生量を減らすというニーズに対して酸化力が強く、電気化学的に再生し易い金属イオンを選択した、ということがシーズになる。

## B　高レベル放射性廃液の処理技術：アクアパイロ分離法（１９８９－２０１４）：日本原子力学会奨励賞受賞サポート（１９９７）[5)〜7)]

これは、六ケ所村に竣工を間近に控えている使用済み燃料の再処理工場で発生する高レベル放射性廃液から、半減期の長いマイナーアクチニド（ＭＡ）を回収して高速炉の燃料として使うための技術である。専門用語の羅列になってしまったが、六ケ所村再処理工場は原子力発電所から発生する使用済み燃料を処理（再処理）し、まだ燃料として使えるウラン（Ｕ）とプルトニウム（Pu）を混合酸化物、すなわちＭＯＸ燃料として取り出す工場であり、現在、２０２４年に運転を開始するための準備をしている。この工場から発生する放射能の濃度の高い廃液が高レベル放射性廃液（ＨＬＬＷ）である。ちなみに、この高レベル放射性廃液をガラス状に固めたものが高レベル放射性廃棄物のガラス固化体である。ガラス固化体は地層処分と言って地下３００メートル以下の深い地層に処分されることになっているが、なかなか処分場の候補地が決まらない。この話は別の機会にすることとして、この高レベル放射性廃棄物に含まれる前述の超ウラン元素を経済性が望めるコンセプトで回収する技術を開発した。マイナーアクチニドは前述のＵが原子炉の中で中性子と反応して生成したネプツニウム（Np）やアメリシウム（Am）などで、半減期が1万年以上の核種を含む元素の集まりである。

　このコンセプトは経済性の高い処理法を目指し、高レベル放射性廃液を沈殿法で処理し、回収した混合物を乾式法と言って水を使用しない高温冶金法を組み合わせたところが新規性があり、新たなシーズである。

　このようにニーズに合わせて新しいシーズを選定すると、必ずと言っていいほど、学会賞を受賞できる。表1は筆者がこれまで受賞に関わったテーマである。

　本書で紹介する研究開発A〜Eの燃料サイクルでの位置づけを図3に示す。

　Aは原子力発電所から発生する金属廃棄物を、Bは再処理工場で発生する高レベル放射性廃液を、Cは使用済み軽水炉燃料の第二再処理工場

表1　若手の共同研究者と受賞

| | 研究名 | 研究期間 | 受賞名 |
|---|---|---|---|
| A | レドックス除染法の開発 | 1983-1988 | 日本原子力学会RWM賞(1994) |
| B | 高レベル放射性廃液の処理技術：アクアパイロ分離法 | 1989-2014 | 日本原子力学会奨励賞サポート(1997) |
| | 自己整合性のある原子力システム（SCNES）におけるFP回収プロセスの開発 | 1994-2000 | 日本原子力学会論文賞(1999) |
| | 乾式再処理技術の開発：高速炉の実用化戦略研究のFSで副概念に選定 | 1987- | 電気化学会・溶融塩委員会賞(2000) |
| | 溶融塩電解法を用いた放射性廃棄物の処理技術 | 1998- | 電気化学会・棚橋賞(2007) |
| E | ジルコニウム廃棄物のリサイクル技術 | 2002- | 日本原子力学会・再処理リサイクル部会賞（2008） |
| C | 第二再処理工場向けハイブリッド再処理技術 | 2006-2011 | FR09ポスター賞(2009)<br>日本原子力学会技術賞(2015)サポート |
| | 長寿命核分裂生成物(LLFP）核変換技術 | 2014- | 発明協会　平成30年度全国発明表彰　21世紀発明賞 |

を、Dはウランを採掘する鉱山の廃液を、Eは再処理工場から発生する廃棄物を対象とした。

④基本的な原理を選ぶ

ニーズを実現するコンセプトを構築し、それを実現できるシーズを選定できたとき、その研究はある意味で7割方成功したとも言える。

シーズを実現する基本的な原理を作るところからが専門家の真骨頂である。

しかし、既往文献調査をしても良い原理やコンセプトが見つからなかったときはどうするか？

新たにコンセプトを作れば良い！

**（↑基本特許を出願）**

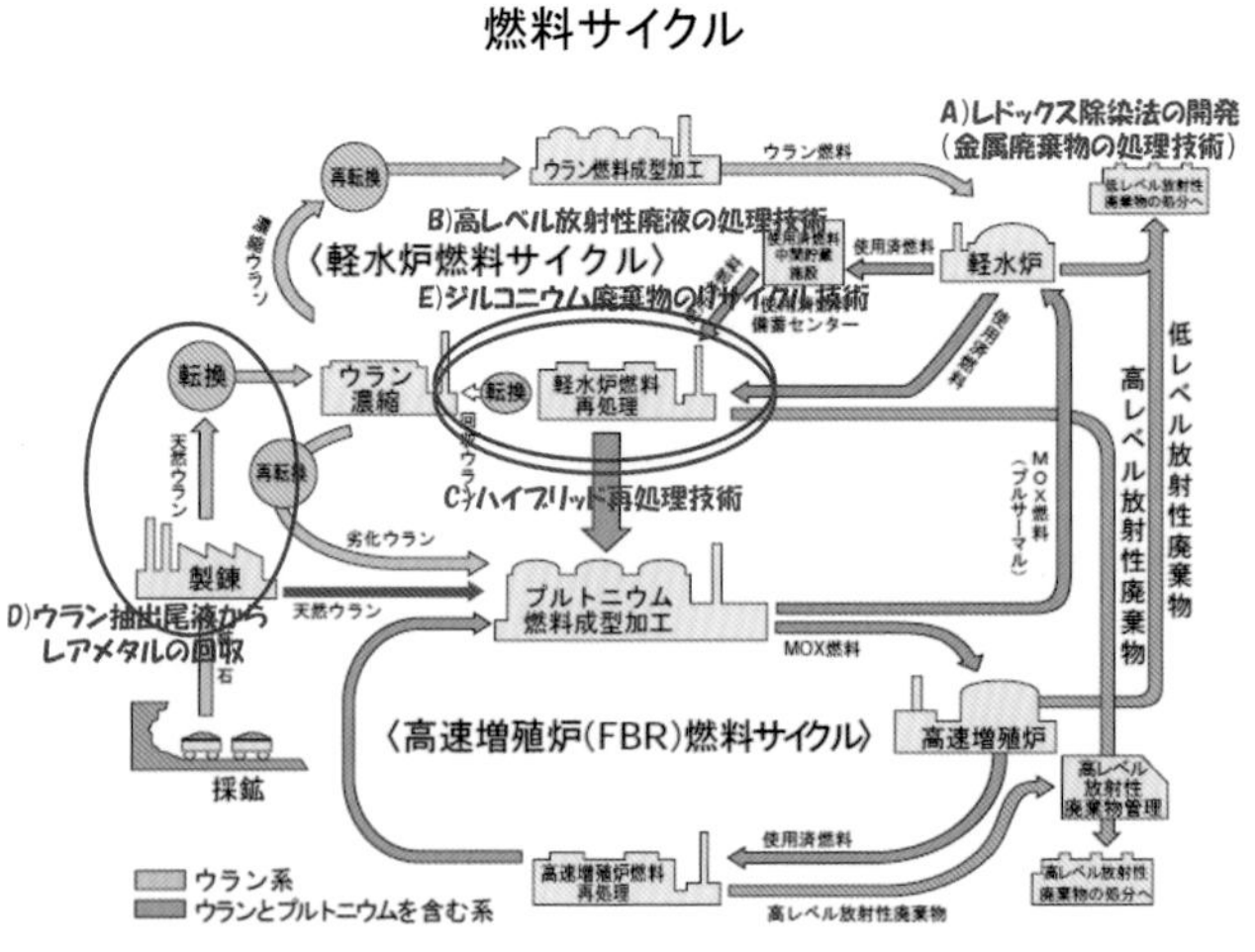


出展：日本原子力振興財団図面集

図3　紹介する研究開発の燃料サイクルの位置づけ

この時重要なのはここで創造したコンセプトを基本特許として出願しておくことである。我が国では製品特許がもてはやされるが、製品特許は製法やそれを構成する材料など、多くの特許を出願して初めて戦力となるものであり、企業が持つものである。大学や研究機関はこの基本特許を出願することが論文投稿と同じくらい重要である。話は横にそれるが、我が国では大学や国立の研究機関でさえ、製品特許を作成すべきだという〝てびき〟が多く出されており、どう見ても誤った施策と言わざるを得ない。国立大学のＴＬＯが軒並み苦戦しているのはこの施策のためでは？　と思わざるを得ない。

話が脱線するが、実は筆者が２０１４年～２０１９年にプログラムマネージャーを務めた Impulsing Paradigm Change through Disruptive Technologies Program（ＩｍＰＡＣＴ）プログラム「核変換による高レベル放射性廃棄物の大幅な低減・資源化」では、半減期の長い放射性核種（ＬＬＦＰ）を高レベル放射性廃棄物（ＨＬＷ）から回収し、加速器でＬＬＦＰを短半減期の核種（ＳＬＦＰ）に核変換する全く新しいコンセプト（概念）[8]を考案した。このコンセプトの基本特許を国内出願し、特許として成立させ（Ｐ）[9]、海外にも米国、ＥＵ、中国、韓国に出願した。その成果は平成30年度発明協会の研究機関や大学が受賞することのできる権威ある21世紀発明賞を受賞する栄誉を受けた。

このプログラムの成果[4]については別途、稿を改めて紹介したい。

⑤原理を実現する研究テーマを提案する

原理を実現、具現化することのできる研究テーマが決まったら、世の中のどのような所や分野に使うことができるかを考えて、すなわち出口を明確にして研究計画を作成する。勿論、ニーズからシーズを掘り起こしているので、出口は明確なはずだが、今一度、出口を明確にすることが重要である。

出口が再確認できたら、社会実装できるまでの研究計画を策定する。

研究計画の概要を図４に示す。

⑥原理が成立する範囲を特定する、成立性を示す基礎研究

規模は小さい装置で構わないが、シーズを具現化する原理が成立する範囲、条件を明確にする。これはもしかしたらすべての開発段階で最も重要とも言える。すなわち、原理的に成立する条件を明確にすることは、実用化研究の中でも成立する範囲はある意味では同じであるからである。

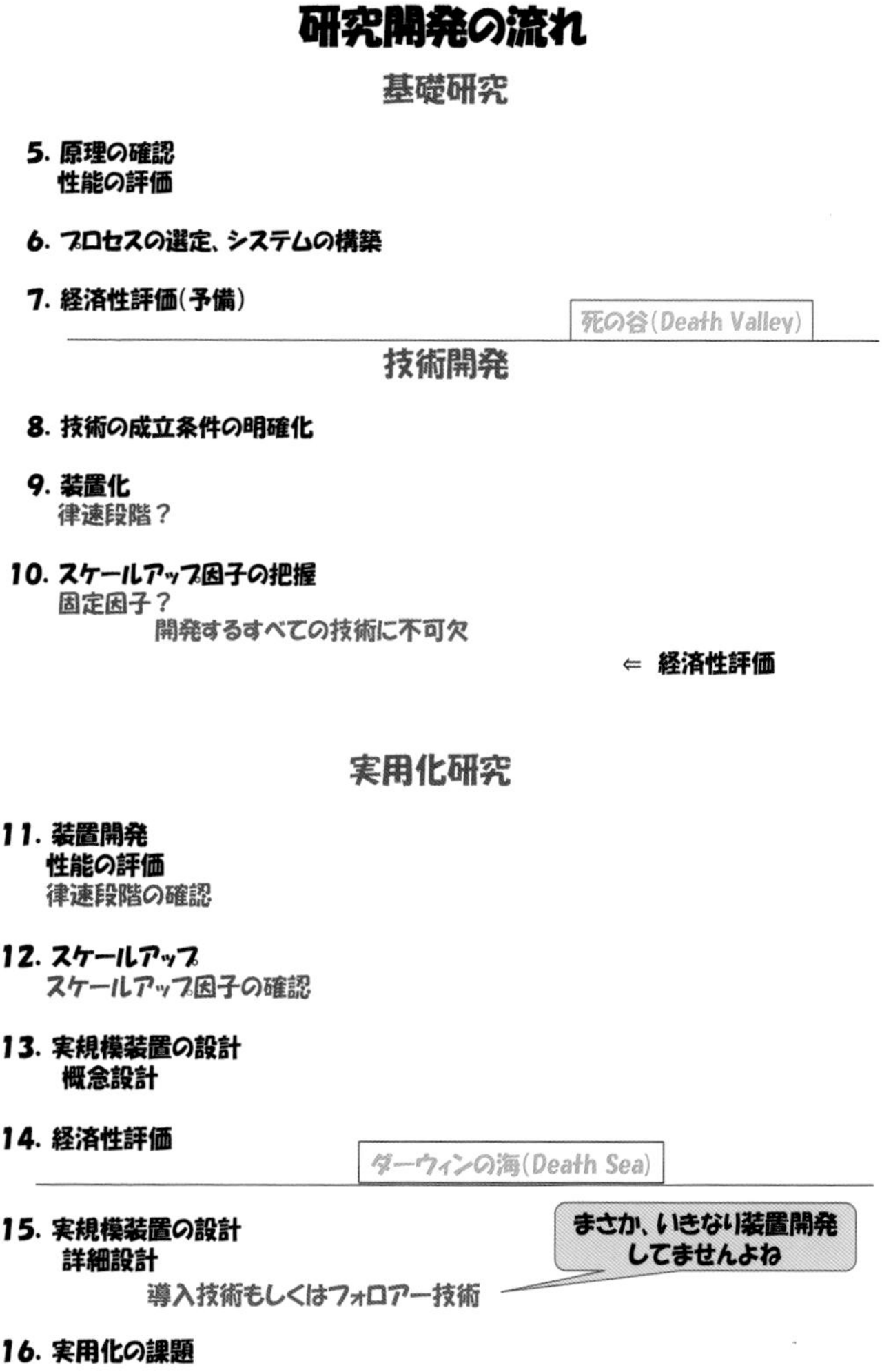

研究開発の流れ
基礎研究
5. 原理の確認
性能の評価
6. プロセスの選定、システムの構築
7. 経済性評価(予備)
死の谷(Death Valley)
技術開発
8. 技術の成立条件の明確化
9. 装置化
律速段階？
10. スケールアップ因子の把握
固定因子？
開発するすべての技術に不可欠
⇐ 経済性評価
実用化研究
11. 装置開発
性能の評価
律速段階の確認
12. スケールアップ
スケールアップ因子の確認
13. 実規模装置の設計
概念設計
14. 経済性評価
ダーウィンの海(Death Sea)
15. 実規模装置の設計
詳細設計
導入技術もしくはフォロアー技術
まさか、いきなり装置開発
してませんよね
16. 実用化の課題

図4　研究・技術開発の進め方

たとえ、装置が大きくなっても、導入技術であっても原理が成立する条件は基本的には変わらない。基礎研究で原理が成立する範囲を明確にしておけば、実用化研究でもどこまで適用できるかが想定でき、大きな失敗はしない。

しかしながら、導入技術、特に装置を買ってきて導入する場合が一番問題である。装置をそのまま導入する場合、導入する装置を設置する条件が合っているかどうか？　多くの場合、大まかな条件は一致しているように見える。概して、基礎研究から立ち上げてきた技術とは異なり、ちょっとした条件を変更すると、全く異なるアウトプットや結果になり、なかなか対応できない。

万が一、技術を導入する場合、基礎研究の基礎データも同時に入手することが重要である。間違っても、基礎研究不要などということは本当の意味での技術開発を知らない、もしくは技術開発をしていないことを表している。

この後の実用化研究は社会実装の形によって異なる。

成立した原理を技術とする場合と製品とする場合がある。

まず、技術とする場合は最終の社会実装はその技術を実現する装置（大型の場合は施設）となる。製品の場合はコンセプトを具現化した物を製造する装置を開発する必要があり、製造する製品の数や材料でコストが決まる。製造装置の開発は経済性を左右するのでそれ自体が大きな技術開発となる。

⑦社会実装を目的とした応用研究（原理の成立する条件および範囲を明確にする）

〃社会実装する〃という意味は、実際に使うことのできる技術を具体化した装置もしくは施設や、製品を製造できる装置や施設を示すということである。小さい規模の基礎研究で成立した条件や範囲をある程度の大きさ、工学規模で成立することを示すことが応用研究の肝である。

技術開発としてもう一つ重要であることは、ここで特許を出願することである。（**↑技術特許を出願**）

この段階でのアウトプットは技術を具体化した施設の設計や製造装置である。

そのためには施設を構成する装置の設計については、装置を大きくするスケールアップの際の固定因子と変動因子を明確にすることがキーである。

具体例を示すと、ウランを採掘した後の残液（抽出尾液）から希少なレアメタルを回収する技術（詳細は後述する）[10]で使用した電解装置のスケールアップでは、陽極と陰極の間の電極間距離や陽極と陰極の面積比は固定因子と言って、装置が小さくても大きくても一定にする必要がある。一方、電解装置の大きさや容量は処理量に依存して大きくする変動因子である。

また、電解に限らず、装置の大きさや容量を決めるためには、市場の動向などを加味するが、その技術を生産性のあるものにできるかどうか判断を間違うと企業にとっては事業の成功、失敗にも関わるので見極めが重要である。また、スケールアップにも装置そのものを大きくした方が経済性が良くなる場合と、ある一定の大きさの装置を多数配置して容量を大きくするモジュール式の方が良い場合があるので、その判断も事業にとっては大切である。

⑧実用化開発（社会実装するための技術開発）

製品とする場合は最終の社会実装は原理を具現化した製品を製造する装置もしくは施設である。

この部分の技術開発は主に企業が担うもので、ノウハウも企業秘密もあるのでここでは扱わない。

別途、企業の成功秘話を参考にして欲しい。

# 2 世の中で何が必要か？（ニーズを整理、正確に把握）

世の中、社会で何が必要とされているかを考える。

例えば原子力の分野では、地球温暖化やベースロード電源として、原子力の割合は低いとは言え、必要である。２０５０年にベースロード電源を化石燃料で賄えるのか？　と考えると当然、否であることから原子力の重要性が引き続き存在する。

しかしながら、現在、再稼働が進められている軽水（水）を冷却材として使う大型軽水炉は、２０１１年３月に発生した東京電力㈱福島第一原子力発電所の事故後は１基１兆円とも言われている。また、軽水炉は熱中性子を使うため、プルトニウム（Pu）や半減期の長いマイナーアドチニド（ＭＡ）を生成するが、それらを効率的に燃焼し、半減期の短い核種にすることは難しい。PuやＭＡを効率的に燃焼させるには高速中性子が必要である。

高速中性子を使う高速炉が適しているが、原子炉だけでなく、高速炉では使った燃料を再処理して再利用し易いということも重要なニーズである。

さらには、再処理すると共にそれを新たな燃料に作り変え、リサイクルできる燃料サイクルが成立し易いかどうかも重要なニーズである。もし使用済み燃料を有効利用しないのであれば、ワンスルーという使用済み燃料を処理しないでそのまま地層処分する直接処分という選択肢もある。米国などは商用再処理はしない、すなわちワンスルー方式を採用している。

また、Puを有効利用しなくても良ければ、MAだけを加速器で核変換する加速器駆動システム（ADS）によりMAを減らす技術も候補となる。

新たに原子炉を開発するならば、日本の事情に合った、すなわちニーズに合った原子炉にすることが重要である。

では我が国の原子力に求められるニーズは何か？　と考えまとめてみると、次が挙げられる。

■Puを有効に活用できること（資源少国では廃棄物にせず、エネルギーとして使う）

■放射性廃棄物を減らすことができる、すなわち半減期の長いＭＡを減らすことができること
■燃料サイクルが経済的に成立すること、すなわち低い除染係数（ＤＦ）

ところが現在、原子力で新たに研究開発が進められようとしているのは、米国で研究開発が進められている軽水炉のSmall Modular Reactor（ＳＭＲ）である。海外の事例を参考にすることも重要であるが、海外とは異なる我が国の状況をきちんと整理し、我が国における社会のニーズを実現する原子炉を研究開発する必要がある。その考え方の中に我が国での実績という項目は必要ない。既に今声高に言われているＳＭＲの実用化（社会実装）の時期でさえ、２０５０年以降が妥当な時期である。約30年間あれば、新規開発したいずれの原子炉も多かれ少なかれ候補となり得る。30年間の研究開発期間があればいずれの技術も社会実装が可能である。したがって、これまでの我が国での実績というキーワードは不要であると言えよう。

この議論を始めると必ず、原子力の技術は放射性物質を扱うので、社会実装に時間がかかるという意見が出てくる。これは原子力ムラの言い訳で、放射性物質を扱うのは最後の

数年のみであり、残りの20年は一般産業と同様のスピード感が求められるし、実際に可能である。原子力だけ研究開発に異常に時間がかかることを認めることは他の技術に対する欠点になる。研究開発スピードを上げるにはシミュレーション技術を徹底的に活用するなど、克服できるオプションはいくつかあり、他の一般産業と同じスピードで研究開発を進めることによりイノベーションも生まれる。

次に、筆者がコンセプトを提案した場合を紹介する。
筆者の専攻は〝リチウムイオン電池〟と同じ化学、狭い専門としては電気化学である。また、分野は原子力である。まずは専攻を全面に出すのではなく、原子力の分野で必要とされる技術は何かを考えた。

原子力の分野では発電に使用した燃料（使用済み燃料）をどう処理、処分するかが重要なニーズになる。勿論、既に国内外で研究や技術開発されている既往研究を調査し、その課題を把握することは重要である。その課題を解決することにより〝連続的イノベーション〟を生むことができる。

研究者や技術者として〝連続的イノベーション〟を生むためには、先行研究や技術の課題、すなわちニーズを掴むことが重要である。企業の研究者や技術者にとって〝連続的イノベーション〟は重要なミッションである。筆者の連続的イノベーションの稚拙な例を紹介する。

**C　第二再処理工場向けハイブリッド再処理技術[13〜15]：FR09ポスター賞受賞（2009）、日本原子力学会技術賞受賞サポート（2015）**

2006年頃、米国のブッシュ大統領はGlobal Nuclear Energy Partnership（GNEP）という政策を打ち出した新興国での原子力需要に応えるため、世界中で原子力発電をどんどん導入してくれればその使用済み燃料の処理は核兵器保有国5カ国（米、ロ、仏、英、中）に商用再処理が唯一認められている日本を含めて6カ国で実施する。そのためのアイデアを募集した。〝もんじゅ〟の事故の後処理が長引き、高速炉の実用化が後ろ倒しになり、軽水炉時代が長く続くことが予想された。

例えば、私の専門の原子力のバックエンドの分野では、東京電力㈱福島第一原子力発電所の事故前のことだが、前述のように2000年代初頭は〝原子力ルネッサンス〟

と言われた。原子力の分野では軽水炉の原子力発電所が増え、それに伴い、使用済み燃料を再処理する工場がさらに必要とされた（①第二再処理工場用技術）。また、当然、使用済み燃料を処理する際に発生するプルトニウム（Pu）を生かす高速炉の使用済み燃料を再処理する技術（②高速炉再処理技術）の両方を成立させる技術がニーズである。

では、研究者はどうやって社会のニーズを掴むか？

研究者は世の中で必要とされているニーズについて、こんな物があったら良いという物（製品）や概念（コンセプト）を考え、そこで必要とされる技術や材料など基礎となる原理や素材を研究することでイノベーションを起こすことができる。その目指す製品や概念を実現するためにそれを構成する要素に分け、その一つ一つに必要とされる物や材料、技術を実現する原理を探すのである。すなわち、必要とされる物や材料、そしていろいろな原理がシーズである。

第二再処理工場向けハイブリッド再処理技術では、これから長く続く**軽水炉時代の再処理**と将来必要となるであろう**高速炉の両方に燃料を供給できる再処理技術**がニーズと言える。この研究開発については後述する。

世の中のニーズを的確に把握することは研究者の重要なミッションであり、研究者の目指す姿ではないか？

# 3

# 的確なシーズを見つけるには？（シーズを絞りこむ）

的確なシーズはどのように見つけるか？

これは最も難しく、重要なミッションである。

前述したように、目指す製品や技術を分解し、構成する物、材料、機能を正確に掴む必要がある。これは研究者でも経営者でも少し目利きの能力があれば可能である。研究者であれば、よりやり易いと考えられるが、経営者だったら、その分野の専門家を呼び構成する技術や原理について聞くこともできる。

的確なシーズの掴み方を前述の第二再処理工場向けハイブリッド再処理[13]を例にとり紹介する。

前述のように、第二再処理工場向けハイブリッド再処理技術のニーズは、これから長く続く**軽水炉時代の再処理**と、将来必要となるであろう**高速炉の両方に燃料を供給できる再**

処理技術である。

東芝は従来、湿式再処理技術は開発しておらず、高速炉の金属燃料の再処理技術を電力中央研究所と共同で開発してきた。そこで、日本でも第二再処理工場が必要となる。しかも、高速炉にも燃料を供給できる再処理工場が必要である。そこで、軽水炉にも高速炉にも適用できる再処理工場のプラント概念〝第二再処理工場向けハイブリッド再処理〟概念を構築し、提案した。

この技術は現在の六ケ所村で竣工を２０２４年に控えたピューレックス（Purex）法の再処理工場のウランとプルトニウムを分ける分配工程（図）を上手く利用し、軽水炉向けウラン精製工程とプルトニウムにマイナーアクチニド（ＭＡ）を同伴させる高速炉向けプルトニウム回収工程を採用した。

少量の再処理工場から発生する高レベル放射性廃液として実使用済み燃料を溶解して得られる溶解液を用いたホット試験を基礎研究として実施した後、応用研究の段階に進む直前に東京電力㈱福島第一原子力発電所事故が起こり、この分野の文部科学省の原子力システム公募事業が停止されたため、この技術は、実用化には至らなかったが、研究開発のステップは参考になると思うので後に詳しく述べる。

ただし、高速炉は再処理がより簡素にでき、経済性が望める金属燃料を選択した。その概念は〝ハイブリッド再処理技術〟として国際会議（FR'09）のポスター賞や２０１４年度の日本原子力学会賞を受賞した。ハイブリッド再処理技術の概念を図５に示す。

このように、ノーベル賞を望むような大きな発明でなくても、ニーズを正確に把握することにより、新しい概念（コンセプト）は創出することができる。

今、原子力で一番必要とされるニーズは〝放射性廃棄物を減らすことのできる新しい原子炉〟ではないか？

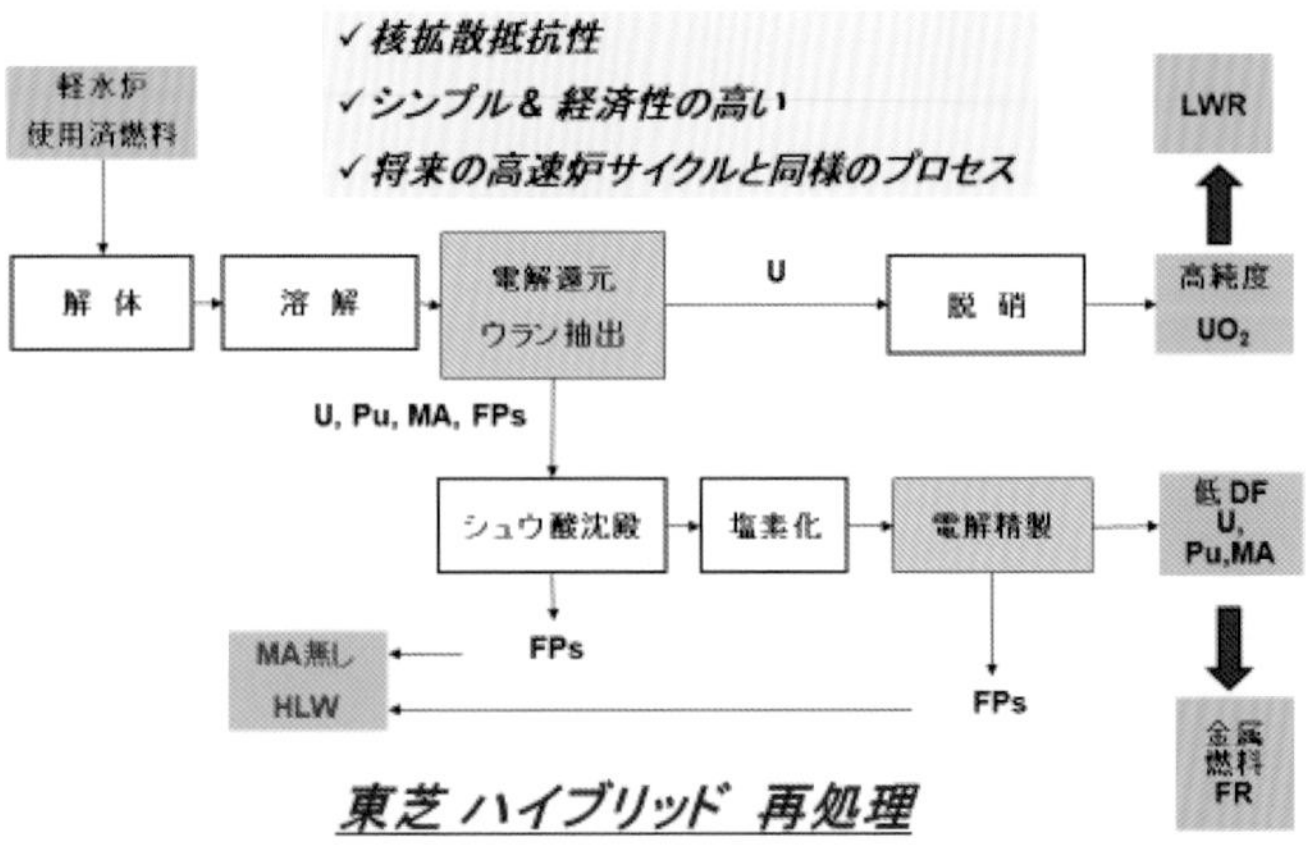


図５　東芝ハイブリッド再処理プロセス[13)]

勿論、前述した既往研究のからシーズを探すというのも一案であるが、〝Puを有効できる〟原理を探す、高速炉だけでなく、炉物理的にはまだシーズを探せるのでは？　かつ〝MAを効率的に減少できる〟エネルギー領域は？　と考えると、まだまだ、シーズは拡がり、新しいコンセプトを生む余地は十分あるのでは？　と考えている。

## 1　ニーズをコンセプト（概念）に落とし込む

ここで新しいコンセプトを構築できたら、もう勝ったも同然！

すなわち、誰も考えていないアイデアだから、その研究は実施できれば学会賞受賞は間違いなしである。

このコンセプトを新たに創ると、必ず、学会賞を取得できる。

〝第二再処理工場向けハイブリッド再処理技術[13)~15)]〟の例を示す。

前述したように、ニーズは①軽水炉の使用済み燃料を処理すると共に②高速炉燃料へPuやMAを供給する、である。この二つのニーズを同時に叶えるシーズはというと？

①は湿式法再処理を利用する。
②は金属燃料高速炉を想定すると金属への転換が必要である。

すなわち、①でピューレックス法再処理を上手く活用し、軽水炉用にウランを回収する工程と②を目指すPuとMAを同時に回収する工程を設ける。ピューレックス法の〝分配工程〟を上手く制御し、ウラン回収用とそれ以外に分ける条件を見つける、これを実現できるシーズを探した。結論としては分配工程において電解還元法を採用し、Puのみを4価に還元し、Uは6価にする条件を見出す（実際には基礎試験を実施し、その条件を獲得した）。ここでは電解還元法がシーズであるが、この時点ではコンセプトであり、成立するかどうかはその後の基礎試験にて確認することになる。

ここでもう一つ重要なことは基本特許を出願することである。

## 1　基本特許の出願

コンセプト（概念）を構築できたら、まず、概念を基本特許として出願する。この特許は企業よりは大学や研究機関が提案すべき特許である。この特許が成立すればある意味では〝鬼に金棒〟である。というのはコンセプトに新規性があればあるほど、このコンセプトに関連する製品すべてに権利が生じるからである。

日本ではこの〝基本特許〟に対する評価が高くないのが現状である。というのは国立大学や国立の研究機関に出されている〝特許のてびき〟は総じて、企業が出願する〝製品特許〟としての出願の考え方である。本来、大学や研究機関に求められている研究をベースとした〝基本特許〟はこの時点で出願するべきである。一方、〝製品特許〟はあくまでが企業が事業のために出願するものである。その分野で大学と企業が争っても勝ち目はない。大学や研究機関はこのような特許を目指すべきである。

前述したが、筆者がプログラムマネージャーをしていた内閣府のＩｍＰＡＣＴプログラム〝核変換による高レベル放射性廃棄物の大幅な低減・資源化〟では、テーマのコンセプトを〝放射性廃棄物の処理方法[9]〟と題し基本特許として出願した。国内で特許として成立させると共に商用再処理をする可能性のある国を中心に海外出願したこの特許は、平成30年度の発明協会の全国発明表彰で第二分類（研究機関や大学）の最高の賞である21世紀発明賞を受賞した。
我が国が研究先進国になるには、所謂、第一分類の製品特許だけでなく、第二分類で基本特許を世界に対し出願することが重要である。我が国が逃した基本特許としては3Dプリンターなどがある。研究先進国としての根本的な知財戦略を国としても策定する必要がある。

## 2 シーズの落とし込み方

ニーズをどうやってシーズに落とし込むかは、もしかしたらイノベーションを起こすために最も難しいことの一つかもしれない。

そこで、筆者の拙い経験を例としてお話しする。

ニーズをシーズのコンセプトに落とし込んだ研究として次の二つのテーマを紹介する。

〝ウラン抽出尾液からレアメタルの回収技術[10]〟と〝ジルコニウム廃棄物のリサイクル技術[16]〟である。

### D　ウラン抽出尾液からレアメタルの回収技術[10〜12]

これは筆者が㈱東芝に勤務していた頃、まだ、東京電力㈱福島第一原子力発電所事故（福島事故）の起こる前、原子力事業が右肩上がりだった時代。東芝は中央アジアのカザフスタン共和国でウランの鉱山権益を買った。その際に東芝のトップから下りてきたミッションはウランの他に売れる物を探せ、かつそれはカザフスタンに技術供与できるものが良いというものであった。カザフスタンと日本の国交にも有益だと考え、何が可能性があるかを徹底的に調べた。

まずは、カザフスタンの国有原子力公社Kazatompromと協力することになり、何ができるか？　Kazatompromから種々の情報を得ながら考えた。

Kazatompromからきた情報の中にウランの抽出尾液（ウランを採掘した後の残液）の分析結果があった。その頃は、磁石に使用されるレアメタルである希土類元素が中国に偏在していると騒がれた頃だった。当然、希土類元素のディスプロシウム（Dy）やネオジム（Nd）が候補として挙がった。しかしながら、東芝には残念ながら資源会社や資源を扱う商社のような資源に関するノウハウはない。そこで、取った方策はウランの抽出尾液の分析結果と市場価格、そして市場動向を分析、評価することであった。いくつかの元素が候補に挙がったが、最後に残ったのはDyとレニウム（Re）であった。Reは高温のジェットタービン材料に使用されるレアメタルでウランなどの副産物として産出されていた。新たにこの分野に参入するため、最も重要なのは経済的に成り立つか、すなわち経済性である。とは言っても前述したように東芝には資源開発した経験もノウハウもない。我々が取った経済性評価は白金（Pt）の鉱山中の濃度と市場価格の関係をDyとReに適用するというものであった。Pt濃度は鉱山では一桁ＰＰＭで存在し、市場では数千円である。一方、Reは抽出尾液中では数十～数百ＰＰＭ、市場価格は１・５万円程度であり、経済性が成り立つ可能性があると判断した。

Reの回収プロセスの研究開発に着手し、模擬の抽出尾液を作製し、経済性のあるプロセスを提案した。[1]勿論、基本特許を出願すると共にカザフスタン共和国などウラン産出国への海外出願も行った。

この技術は残念ながら、福島事故によりその後、社会実装されなかった。正確にいうと、東芝が権益を持っていたウラン鉱山のウランの抽出尾液を正確に分析したところ、Reの濃度が一桁低く、鉱山を多数持っていれば可能性もあったが、経済性が成り立たないと判断した。しかしながら、カザフスタンにウラン鉱山を複数持ち、ウランを年間４００トン生産していたフランスの会社ならば十分、経済性が成り立つ技術であり、新規分野に参入する際の経済性を含め、多くの考え方を学んだ。

ここでもう一つ重要なのは、コンセプト、すなわち概念が構築できた時点で予備的な経済性評価を行うことである。まだ、プラントが建設されているわけでもなく、プロセス概念が構築できただけのこの時点で経済性評価を行うことが、間違った研究開発を続けないための重要な判断の機会となる。しかしながら、この時点の予備的経済性評価はかなり難しく、この時点で社会実装を望める概念としてはメーカーの暗黙知として既存の技術やプロセスに比較して1桁安価であることが、その研究を進めることのできるゴーサインと言える。

勿論、予備的経済性評価が10分の1以下でなくても成立した技術も多くあり、あくまでも目安である。

もう1件は〝ジルコニウム廃棄物のリサイクル技術[16]〟である。

### E　ジルコニウム廃棄物のリサイクル技術[16〜19]：再処理・リサイクル部会賞受賞（2008）

軽水炉発電所から発生する使用済み燃料はピューレックス法で再処理すると、ジルカロイ製の燃料被覆管や、沸騰水型軽水炉（BWR）ではチャンネルボックスと言われる被覆管を束ねる仕切りもジルカロイ製の放射性廃棄物となる。しかしながら、これらのジルカロイ製の廃棄物は強い中性子が当たって、材料表面ではなく、材料そのものが放射化しているため、そのまま廃棄物にすると、放射能レベルが中程度のTRU廃棄物や低レベル放射性廃棄物のうち、最も放射能レベルの高いL1廃棄物となる。その処理・処分のコストは約44億円となり、再処理工場から発生する放射性廃棄物コストの約3分の1を占める。実は我が国では、戦略物質であるジルカロイ合金を製造しているメーカーはなく、被覆管は海外から管状の材料を輸入し成形加工して提供している。今後、プルサーマル用のMOX燃料の被覆管材料が逼迫したときには、このジルコニウム廃棄物をリサイクルすることにより使うことができる可能性がある。

そこで、シーズとしては、金属を精製できる手法を考える。回収物（製品）が金属であることから水溶液を用いる湿式法では難しく、金属燃料高速炉で用いた高温冶金法の一つである乾式法が有望となり、溶融塩電解法がシーズとなり得る。

シーズに落とし込む際に最も重要なのは論理的思考である！

一つ一つの原理は既にどこかで提案された概念かもしれないが、それを論理的に齟齬がないように組み立てていくことにより、新しいコンセプトに組み立てられ、誰もが納得するシーズにできる。これが基礎研究の醍醐味！　と言っても過言ではない！

自分の頭で考える思考力が今更ながら重要である！

ジルコニウム廃棄物のリサイクル技術の概念を図6に示す。使用済みの被覆管やチャンネルボックスを溶融塩電解槽の陽極バスケットの中に入れ、陽極と繋ぐ。陰極には精製したジルコ

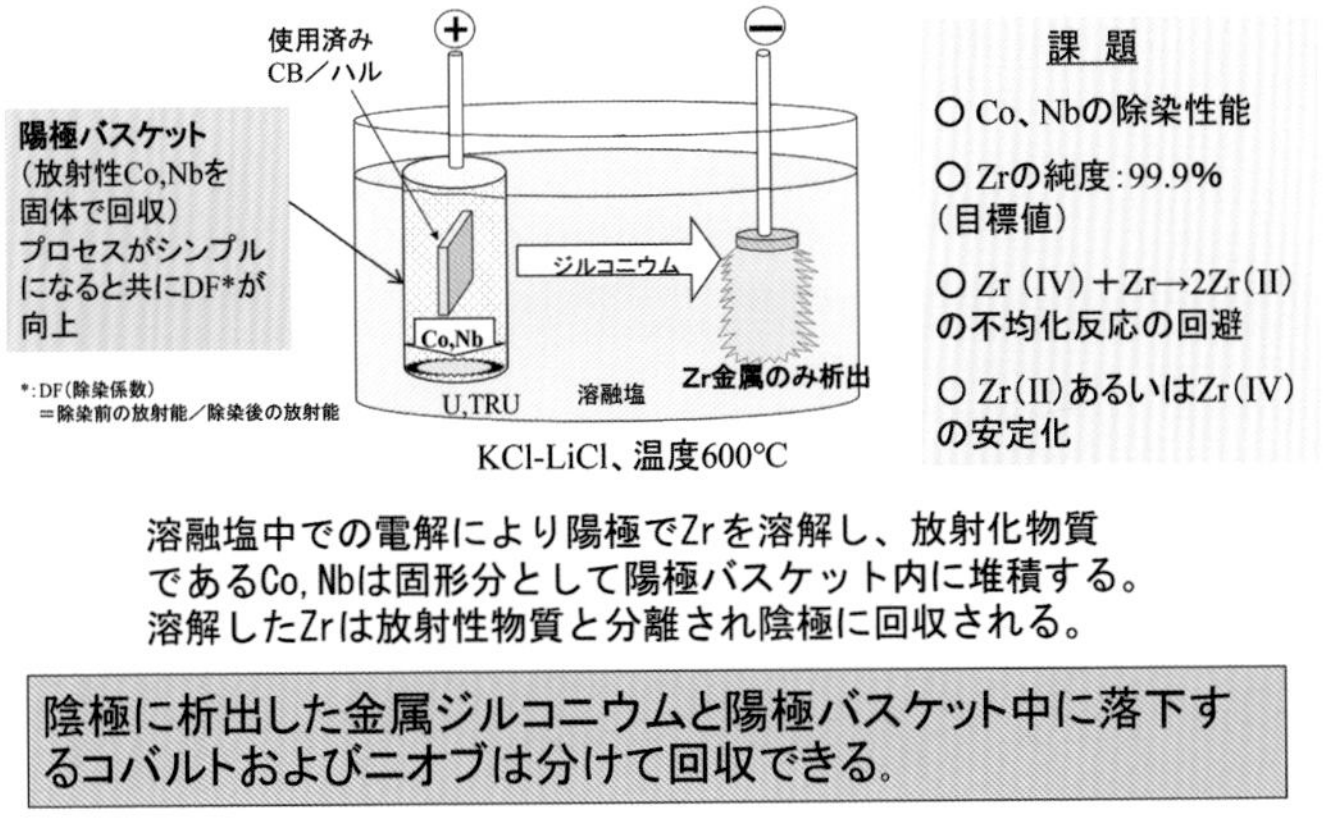


図6　ジルコニウム廃棄物のリサイクルの原理[16)、17)]

ニウム金属を析出させる鉄製のロッドを使う。ジルコニウム廃棄物には強い放射能でジルカロイ合金の中の不純物である鉄（Fe）やウラン（U）が放射化されて生成したコバルト（Co）－60やアンチモン（Sb）－124などの強い放射性核種が存在している。これらの放射性核種を電解により取り除くことが必要である。幸いCoやSbの酸化還元電位はジルコニウム（Zr）より貴（Positive）で析出し難いため、Zrが優先的に析出し、回収できる。このように汚染したジルコニウム廃棄物から精製したZr金属を生産できる。溶融塩中での電解により陽極でZrを溶解し、放射化物質であるCo、Nbは固形分として陽極バスケット内に堆積する。溶解したZrは放射性物質と分離され陰極に回収される。

このプロセスを採用するに当たっては他の候補シーズである塩化物揮発法や金属溶融法と性能などを比較した。その結果を表2に示す。塩化物揮発法や金属溶融法に比

表2　ジルコニウム廃棄物のリサイクル技術の比較

| | 溶融塩電解法 | 塩化物揮発法 | 金属溶融法 |
|---|---|---|---|
| 原理 | 酸化還元電位差 | 塩化物の蒸気圧差<br>例えば. $ZrCl_2$ 対$CoCl_2$ | 融点 |
| 長所 | ジルコニウムを金属形態で回収できる | $ZrCl_2$ 回収可能 | アルミニウム材リサイクルの実績 |
| 短所 | 付着塩の除去 | 複雑なプロセス | ジルコニウムとコバルトの融点の差小 |
| 除染係数(DF) | ＞$10^6$ | ≒ $10^6$ | ≒ 100 |
| 減容効果 | ＜1/100 | ? | ― |
| 二次廃棄物発生量 | 使用済み溶融塩 | 核分裂生成物の塩化物 | スラグ材 |
| 経済性 | ○ | △ | × |

べ、CoやSbに対する分離係数、すなわち除染係数が高いことが選定した主な理由である。

溶融塩電解法を用いたプロセス概念と特徴を図7に示す。溶融塩電解法では電解槽一つで放射化したCoやSbとジルコニウム（Zr）を分離することができる。また、通常、水溶液の電解では水の電気分解法により回収することができないZr金属を陰極に回収できることも大きなメリットである。

ジルコニウム廃棄物のリサイクル技術の開発では溶融塩電解法をシーズとして選定した。

次からは選定したシーズを用いて、どのように研究開発していくかについて述べる。

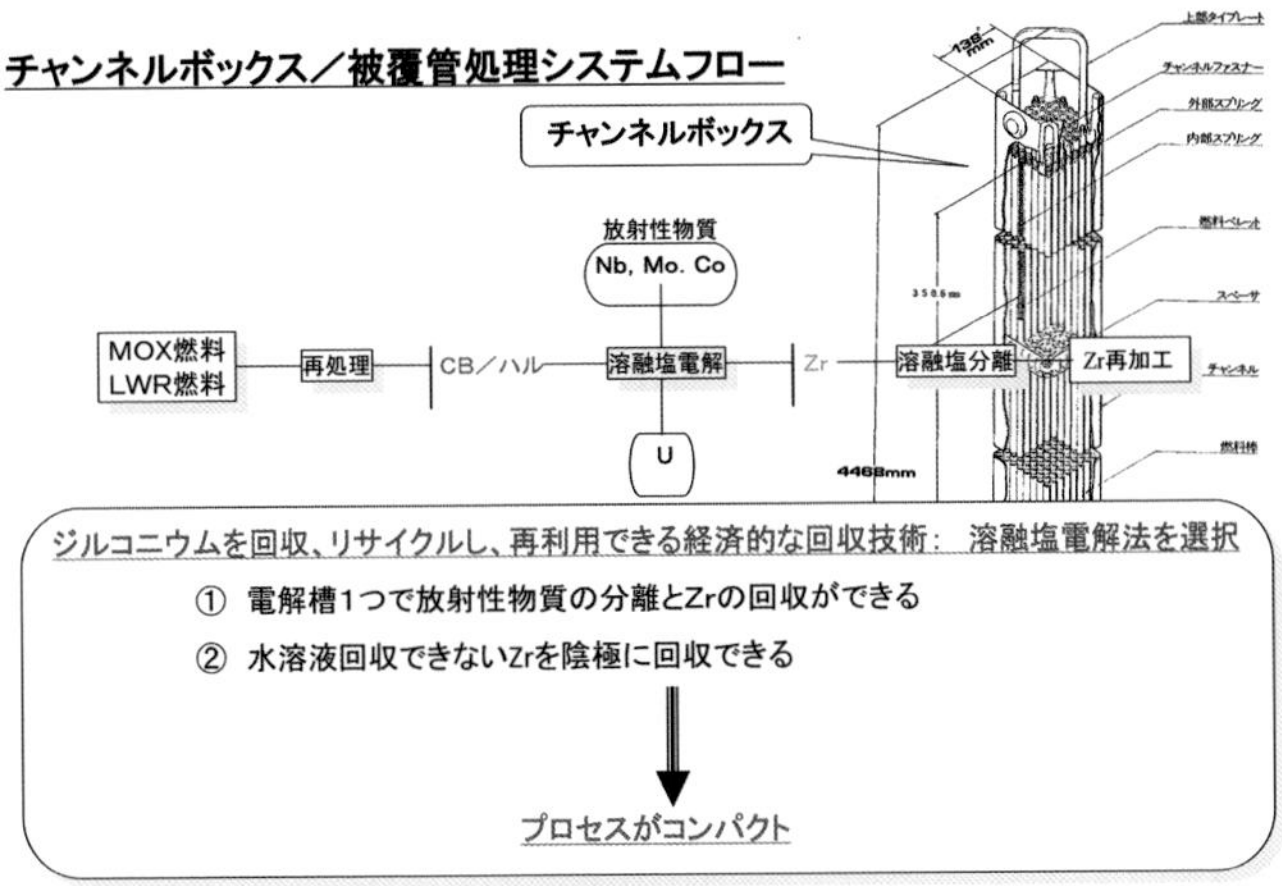


図7　ジルコニウム廃棄物のリサイクルの概念[16)、17)]

# 4 研究開発の進め方

この後は研究の進め方をこれまでの研究を例に取りご紹介しましょう！

シーズが固まったら、その原理が成立することを実験などによって確認する。これが基礎研究の始まりである。基礎研究を進めていくと、どうしても原理が成立しない条件が出てくる。そこがよく言われる、死の谷である（図8）。

基礎研究の死の谷を越え、応用研究までやり遂げ、研究として一応完成することが研究開発である。研究開発したものが、すべて社会実装や製品

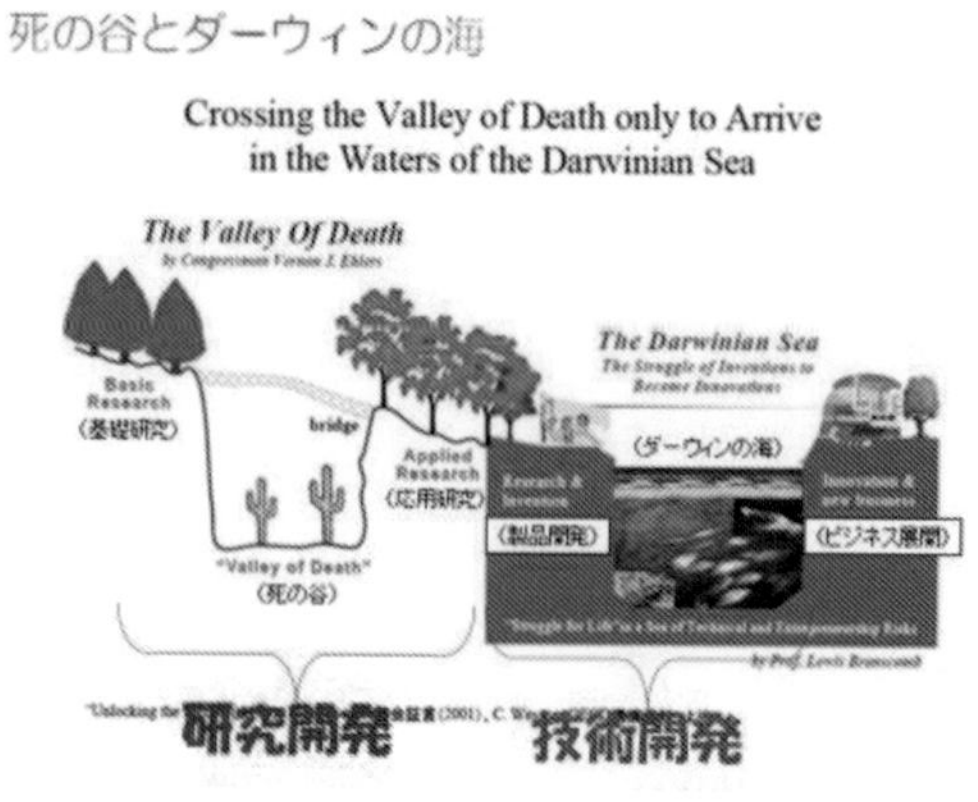


図8　死の谷とダーウィンの海[20]

になるのではなく、その後、社会実装や製品化する開発が技術開発である。

日本では1990年代まで、よく基礎研究をせずに工学的開発、すなわち技術開発を上手くして世界一になった分野があった。これが〃基礎研究ただ乗り〃と評されたが、原子力はその分野の最たるものである。今でも、原子力分野の老教授には原子力に基礎研究不要論を唱える方がいるが、良い例である。

（しかしながら、先進国になった我が国が他の先進国で実施された基礎研究に基づき工学的開発をすることは虫が良すぎる、というよりあまりにも自覚が足りない）

まず、基礎研究では選定した原理の成立する条件を正確に把握する。それによってその研究を技術開発に展開したときに、どこに適用できるかが明確になる。勿論、成立する範囲をなるべく幅広くできるような研究も重要でありその中で行う。

原理が成立する条件を固めたら、次のように基礎研究を進める。

## 1　基礎研究はどう進めるか？

基礎研究の進め方の例を図9に示す。化学の分野では原理の確認を行った後、性能を評価する。チャンピオンデータだけで勝負するのではなく、その性能が幅広く成立するかどうかを見極めることが大切である。

ここで性能や成立する範囲がきちんと評価できていないと技術開発の段階で後戻りが生じる。厳しく評価することが重要である。

ここでは、同時に実用化を目指した周辺技術、化学の分野ではプロセスに展開し、その技術が実現したことを想定したおおよそのシステムを構築しておく。

基礎研究の例として〝第二再処理工場向けハイブリッド再処理法[13)〜15)]〟を紹介する。ハイブリッド再処理プロセスでは、六ケ所村の再処理工場に次の再処理工場、すなわち、第二再処理工場を目指す。この工場では軽水炉向けのウラン燃料と高速炉用燃料、ここでは、核不拡散性の高い金属燃料高速炉を選定し、金属燃料を製造するプロセス概念を考案した。東芝

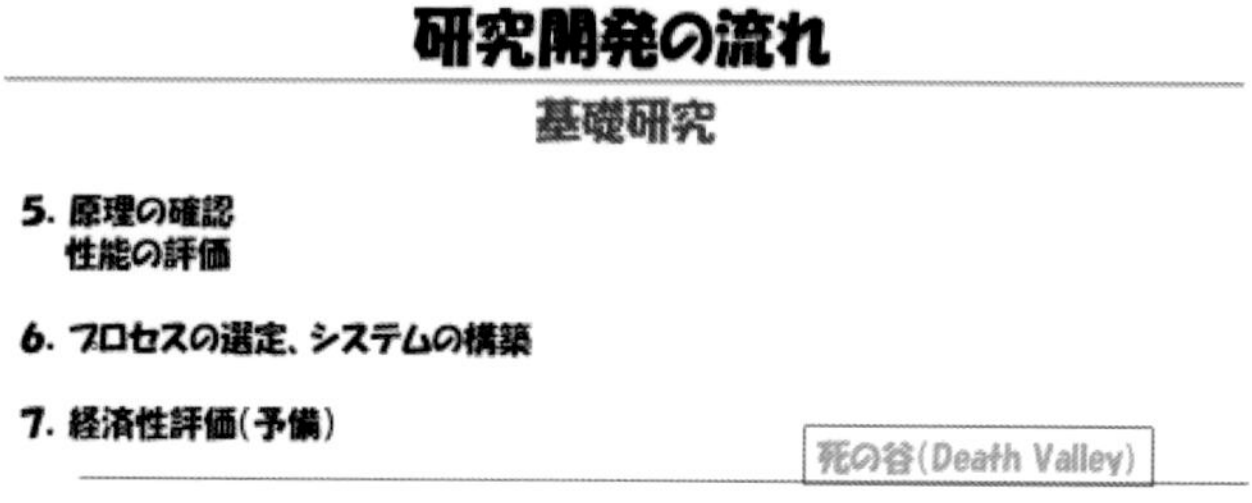
研究開発の流れ
基礎研究
5. 原理の確認
性能の評価
6. プロセスの選定、システムの構築
7. 経済性評価(予備)
死の谷(Death Valley)

図9　基礎研究の進め方

ハイブリッド再処理法のプロセスを図10に示す。ハイブリッド再処理法の特長は、前述したように、軽水炉燃料用のウラン（U）と高速炉燃料用のプルトニウム（Pu）を分離するために水溶液電解法によりUの価数を6価（$UO_2^{2+}$）に維持し、Puを4価（$Pu^{4+}$）にコントロールする電位に設定し、UとPuを分離する。その条件を持たす基礎データを基礎研究により取得した。Puを4価にすると、半減期の長いマイナーアクチニド（MA）もPuに同伴するので、Puが単独で回収し難い核不拡散性の高いプロセスを構築することができる。

　この概念が成立する基礎データを試験により取得した。その一例を図11に示す。図11はUの分極曲線すなわち、電位――電流曲線である。

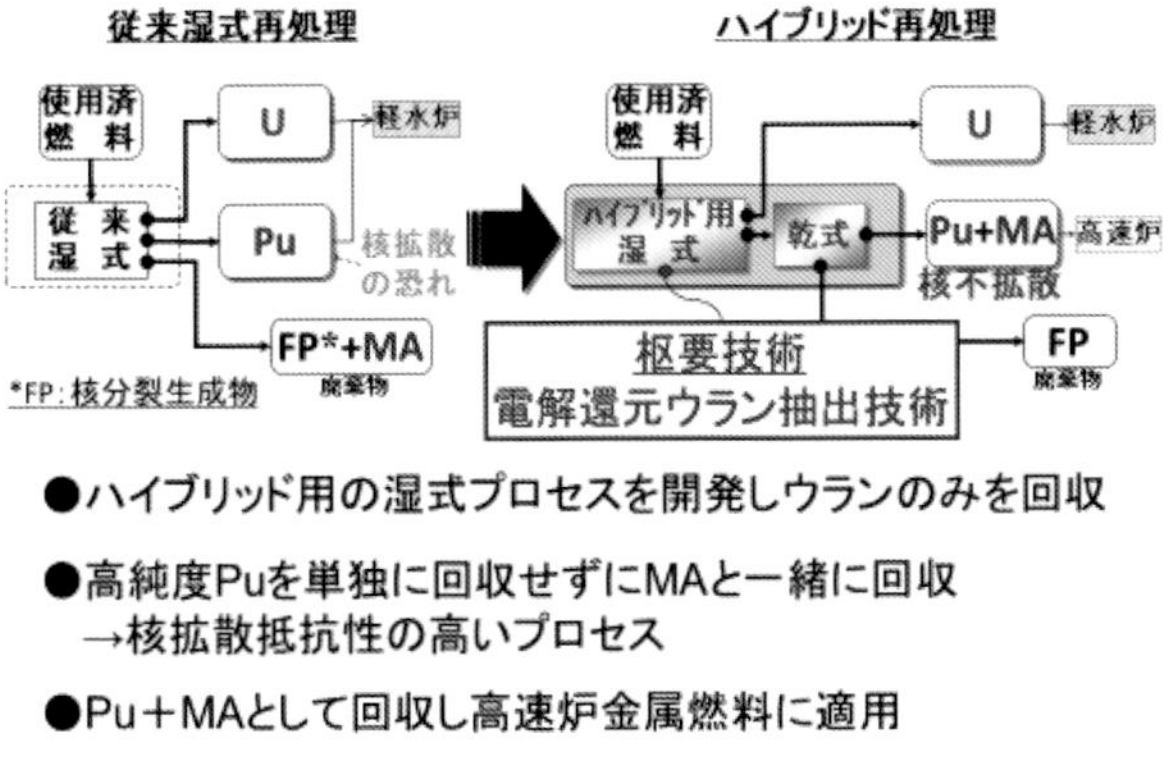


図10　ハイブリッド再処理プロセスの概念[14)]

図11に示すようにUの6価が安定に存在する条件を把握した。すなわち、陰極電位は、−0.26〜−0.05V、電流密度30 mA/cm$^2$ 以上、硝酸濃度1〜3NでUの6価が存在することが分かる。このように基礎データを取得し、成立する条件を把握することが新しいコンセプト（概念）では最も重要である。

言い換えると、〝成立しない範囲を明確にする〟ことが重要である。社会実装、すなわち事業化する際には成立しない条件を明確にすることがその事業が成功するかどうかの鍵を握っていると言っても過言でない。

ここでもう1点、重要なことがある。成立する条件を把握すると、基本的なプロセスを構築できる。この基礎研究において得られたプロセ

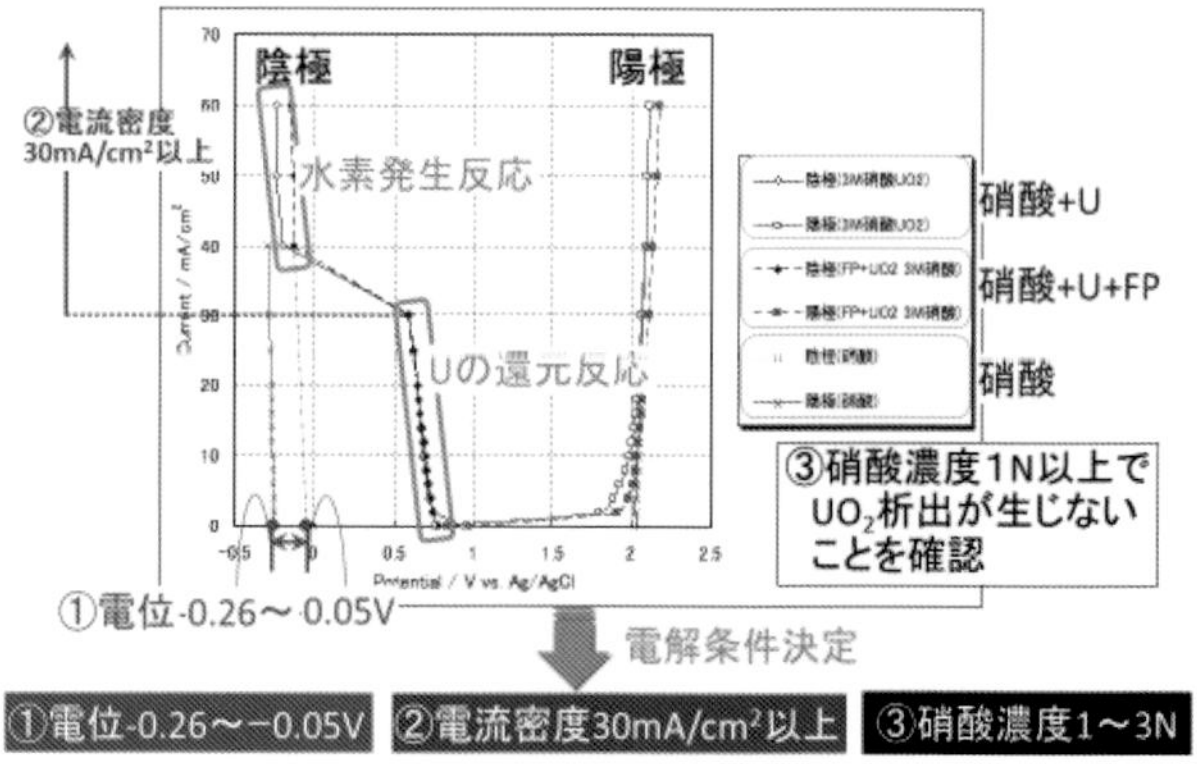


図11　分極測定（電位 ── 電流測定）[14)]

スに基づいて予備的な経済性評価をする。この段階で予備的な経済性評価をすることにより、おおよその経済性が予測できる。プロセスの各工程の詳細は決まっていなくても関連する分野の実績から予備的な経済性は評価できる。

この予備的な経済評価の判断基準は？

例えば、コンセプトをブロック図で示す。現在の事業や既存技術に対し、コンセプトの段階で経済性を評価し、現状の約10分の1程度でないと実用化した際に経済性は成り立たないという暗黙知がメーカにはある。

例えば、〝ジルコニウム廃棄物のリサイクル技術の開発[18]〟で実施した予備的な経済性評価を紹介する。ジルコニウム廃棄物のリサイクル概

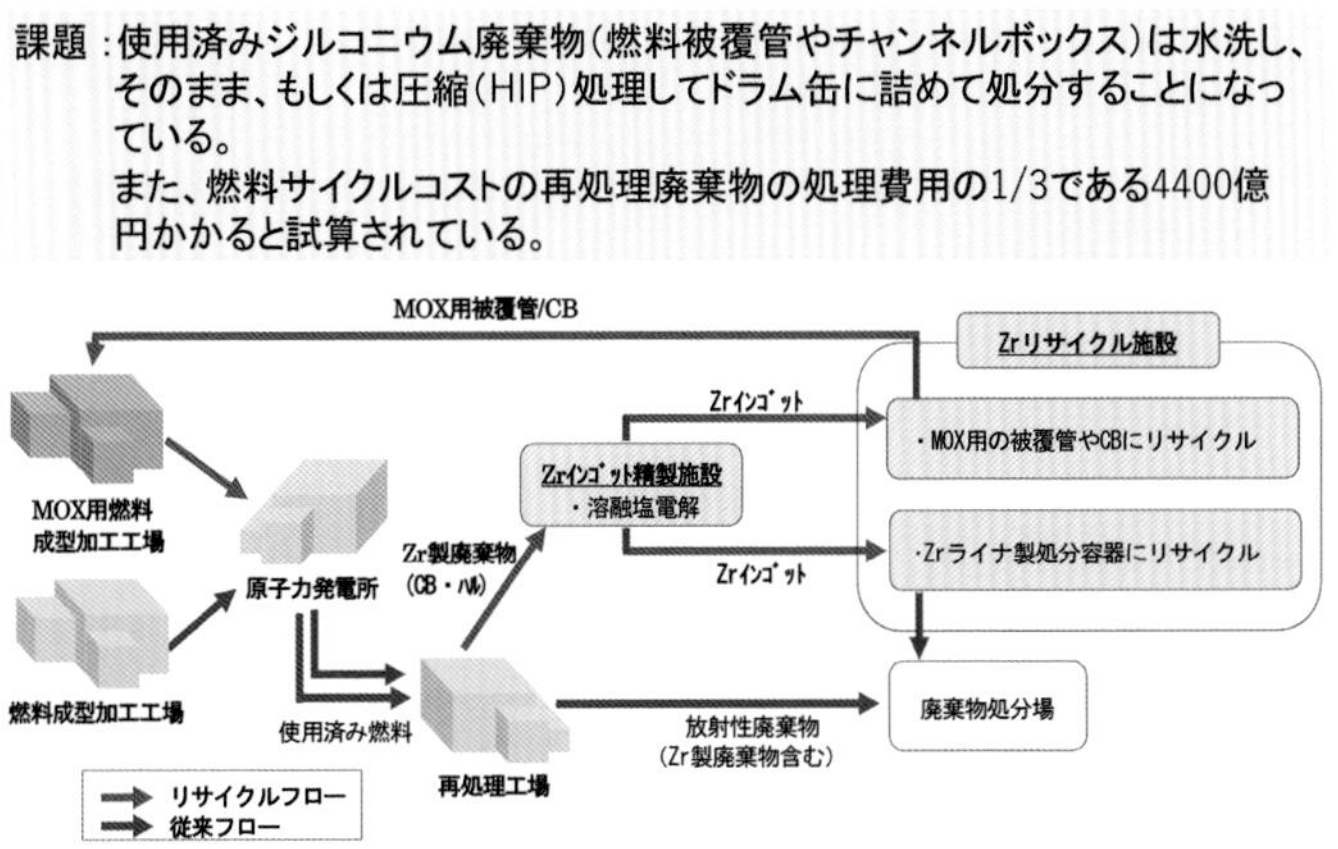


図12　ジルコニウム廃棄物のリサイクル概念[16)、17)]

念を図12に示す。

ジルコニウム廃棄物のリサイクル技術において基礎研究に基づき構築したZrの回収施設のフローシートを図13に示す。

Zrの再利用施設のフローシートを図14に示す。

現状では、ジルコニウム廃棄物であるチャンネルボックスの廃棄物を切断し、容器に収納した後、モルタル充填し廃棄体確認を経て低レベル廃棄物としてL1余裕深度処分することになっている。この場合、処理コストが約700億円、埋設する処分コストは約2300億円と試算され、余裕深度処分費用

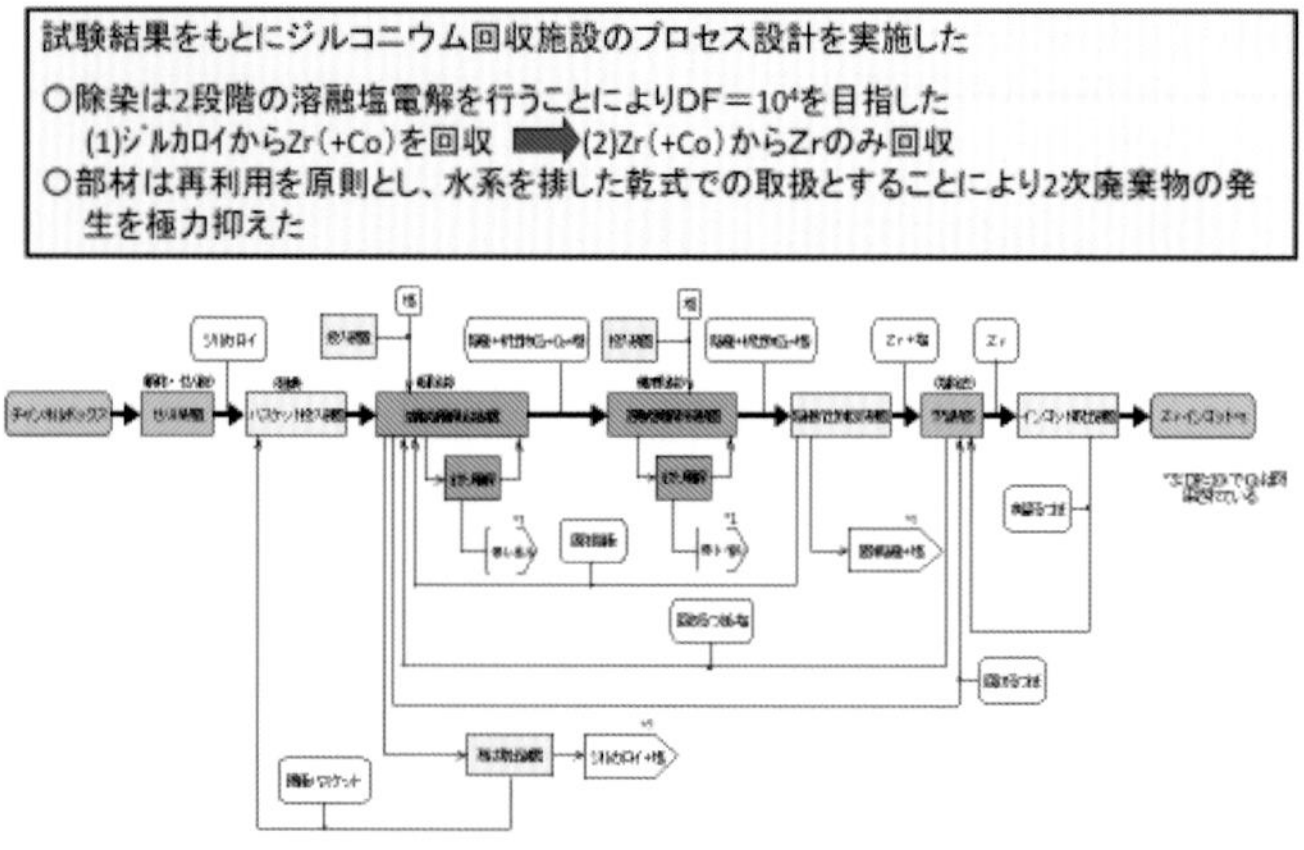
試験結果をもとにジルコニウム回収施設のプロセス設計を実施した
○除染は2段階の溶融塩電解を行うことによりDF＝10⁴を目指した
(1)ジルカロイからZr(+Co)を回収
(2)Zr(+Co)からZrのみ回収
○部材は再利用を原則とし、水系を排した乾式での取扱とすることにより2次廃棄物の発生を極力抑えた

図13　Zr回収施設のフローシート[18]

は約３０００億円となる。[18]

一方、溶融塩電解法を用いてチャンネルボックスのコバルト（Co）やアンチモン（Sb）などの放射性物質を分離除去し、ジルコニウムインゴットとして再利用する。例えば、L1処分容器に再利用すると、余裕深度処分費用は約２６０億円、処分容器を製造する施設の費用が約１２０億円なのでコストは３８０億円となり、約８分の１と試算された。

また、高レベル放射性廃棄物処分容器のオーバーパックやMOX燃料の被覆管へリサイクルする場合も各々４００億円、３７０億円と試算され、約８分の１程度であることが分かり、実用化の可能性があることが分かった。

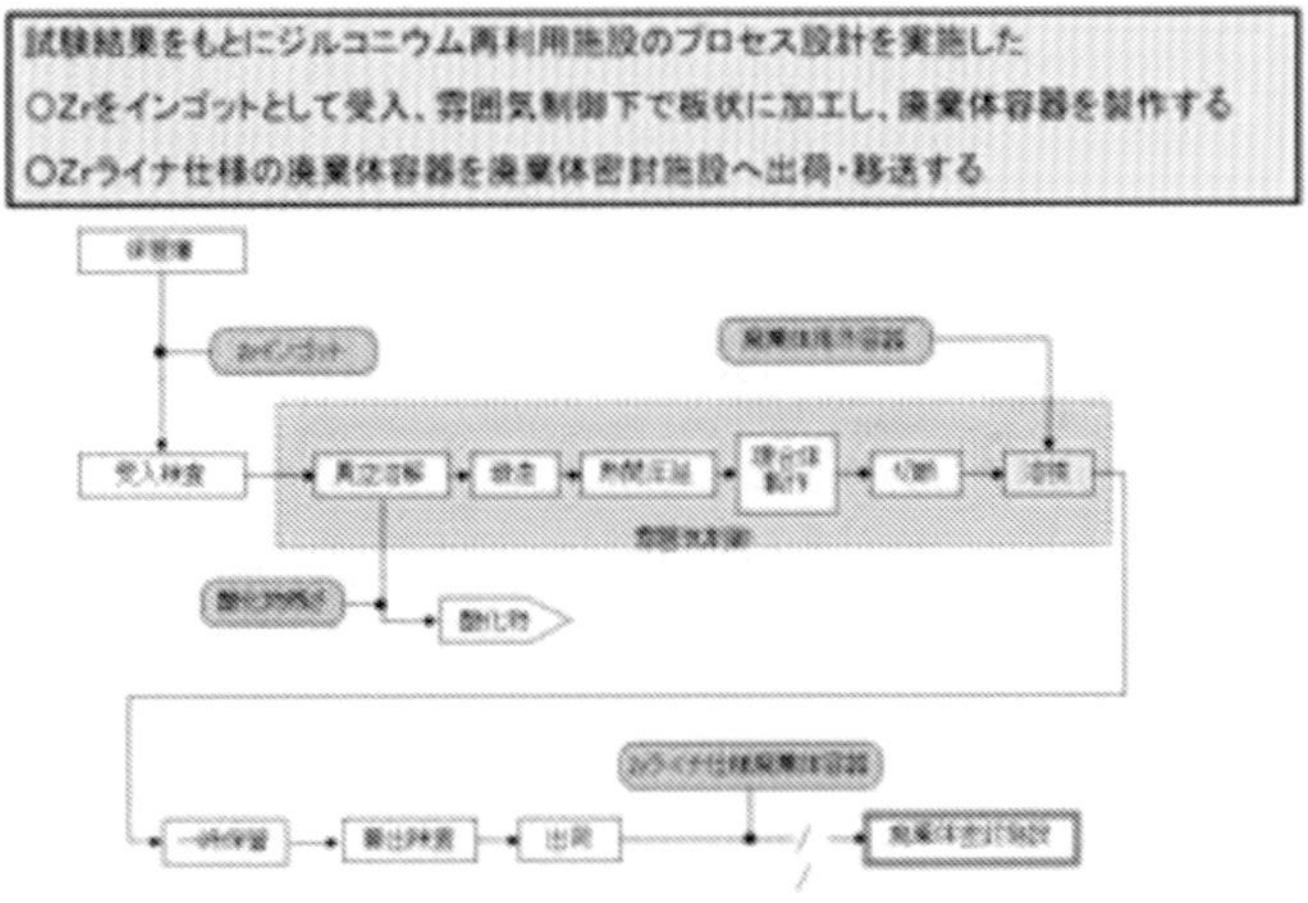


図14　Zrの再利用施設のフローシート[18]

ジルコニウム廃棄物をリサイクルしない場合とＨＬＷ処分容器に再利用した場合の経済性評価の結果を図15に示す。

ジルコニウム廃棄物のリサイクル技術の開発では、処理プロセスがほぼ確定し、構成する施設の概念検討により、予備的な経済性評価ができた。

経済性評価で全く経済性を評価できる手法が見つからなかったとき、筆者が取った一つの予備的な経済性の考え方を紹介する。

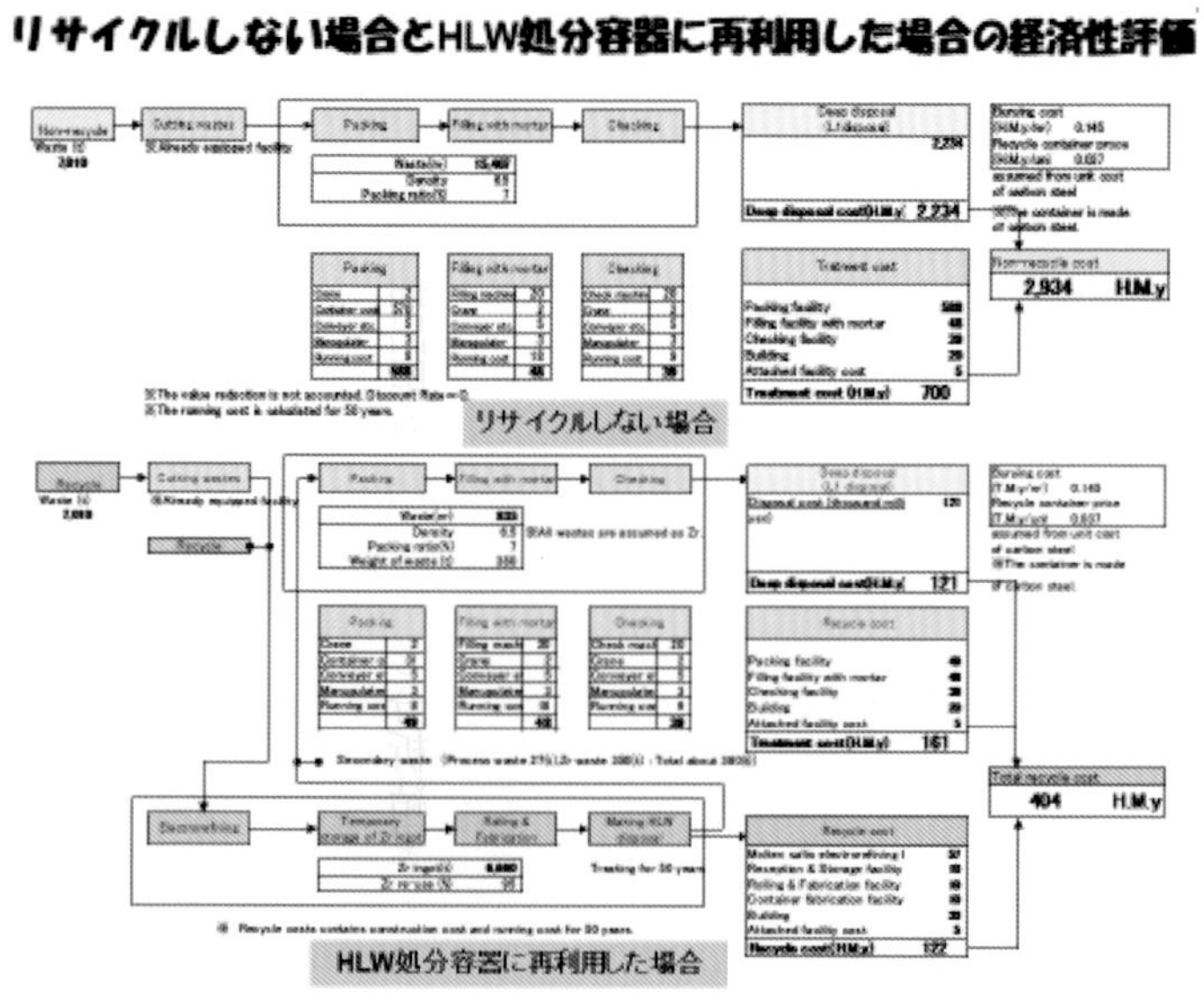


図15　ジルコニウム廃棄物のリサイクル技術の経済性評価[18]

〝ウラン抽出尾液からレアメタルの回収技術[10]〟

これは12年ほど前に、カザフスタン共和国で㈱東芝がウランの採掘権を取得したときに実施した研究開発である。そのとき、トップからのミッションは〝ウランのほかに売れる物を探せ！〟というものであった。

カザフスタンに出かけウランを採掘した後の液（抽出尾液という）の分析結果をもらった。その中から世の中から必要とされている金属をピックアップした。電池用の磁石に使われる希土類元素の一つディスプロシウム（Dy）と高温のタービン材料に使われるレニウム（Re）が含まれていた。この二つの元素の市場価格はその当時かなりの高値で取引されていた。特にReは白金（Pt）より1桁下の価格であった（これが最終的には投機的な価格で実用化に至らなかったのではあるが）。

そこでReの経済性について検討した。勿論、ウランの抽出尾液から回収した実績も既往研究もない。無い知恵を絞り、我々が検討したのはPtの採掘との比較である。白金は鉱物中に1～数ｐｐｍ含まれている。実際の市場価格は1g数千円オーダーである。一方、カザフスタンの鉱山のウランの抽出尾液に含まれるReの濃度は数十～数百ｐｐｍであった。Reの市場価格は1g千円程度であり、白金と比較して10倍～100倍の可能性があると評価した。

このように予備的経済性の評価の手法はいろいろあるが、論理的に考えて構築することができる。この段階で経済性が成立しない原理は〝筋が良くない〟ものなのでその後の研究開発や技術開発には進めない。

レアメタル回収のプロセスを図16に示す。

## 2 応用研究の進め方

基礎研究でシーズの原理が確認されたならば、応用研究に進む。ここでは、原理が成り立つ条件を明確にすることが重要である。間違ってもトップデータで判断しては

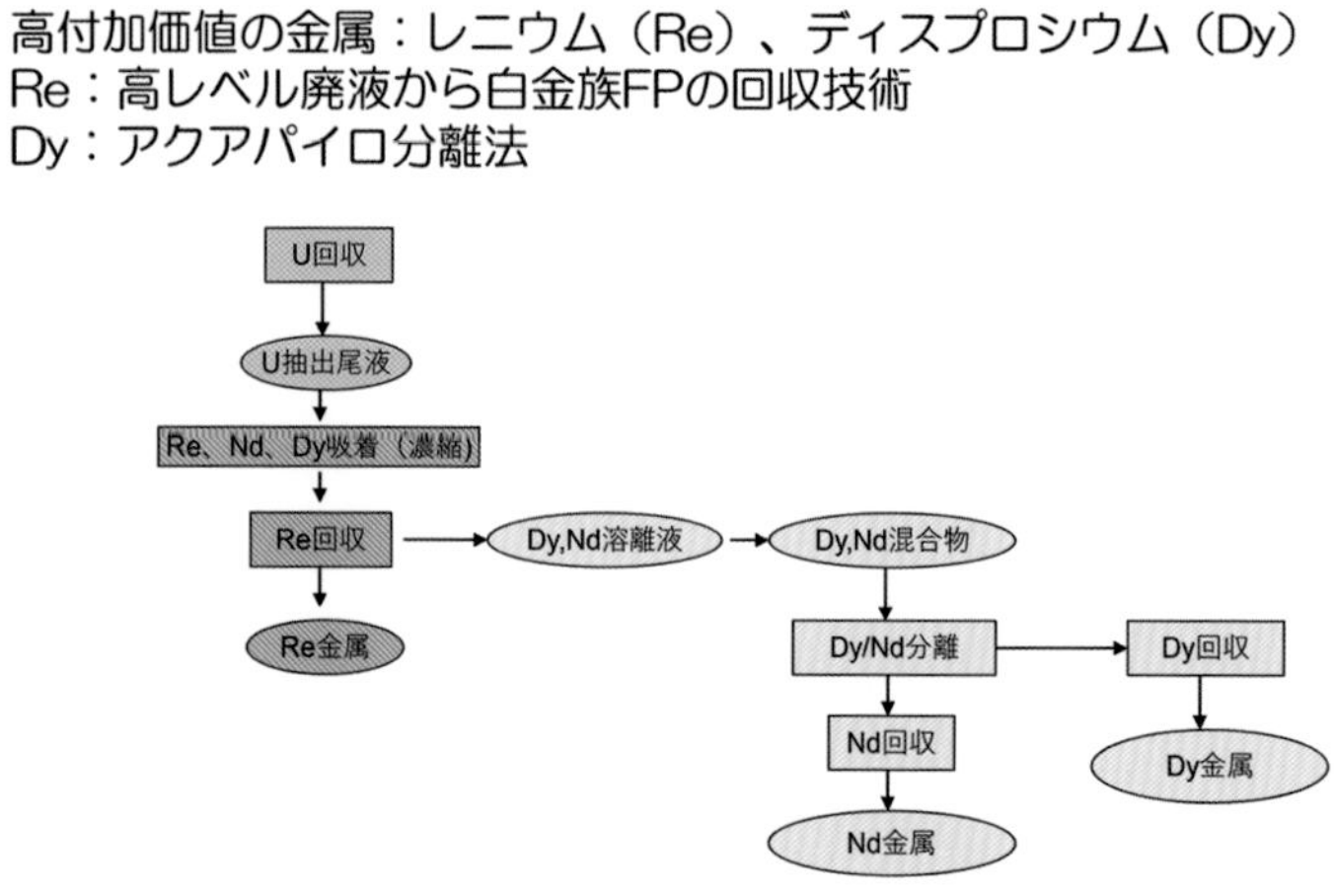


図16　レアメタル回収プロセス概念[10)]

いけない。成立する範囲を明確にすることにより、初めて、次のステップの技術開発に進める。

応用研究の進め方の例としてハイブリッド再処理技術の開発について紹介する。ハイブリッド再処理技術の開発では、原理の成立性は前述したように詳細な基礎研究によりほぼ成立する条件を把握した。

次に、応用研究の第一歩として、基礎研究で把握した成立条件を満たすことのできる装置、すなわち機器をどう選ぶかがその技術を社会実装できるかどうかの岐路になる場合もあるので、慎重に候補となる装置を選ぶ。

## 1　第二再処理工場向けハイブリッド再処理技術[13〜15]の開発

例えば、ハイブリッド再処理技術の開発ではUとPu・MAを分離する分配工程を実現するための機器として、Puを4価に還元するための電解装置とUを有機溶媒のTBP－ドデカンを抽出する装置が必要である。電解装置としては双極式や単極式電解槽などバッチ式電解槽から電解液を流しながら電解する流動式電解槽まで種々存在する。その中から電解液を流しながら、電極面積を大きく取ることのできる〝フローセル型〟を採用することにした。また、Uを抽出する抽出器としては、ミキサーセトラやパルスカラムなど種々あるが、ここでは有機溶媒を劣化し難い〝遠心抽出器〟を採用した。

選択した遠心抽出器と電解フローセルが成立する条件、どのような範囲で成立するのかを実廃液を用いた試験により確認した。図17に装置およびホットセル内に設置した図を示す。

実使用済燃料溶解液は電解フローセルから入り、陰極でPuを6価から4価に還元された後、遠心抽出器に入り、有機相にウラン6価が抽出され、PuとMAは水相に残留することにより、UとPuを分離することができる。

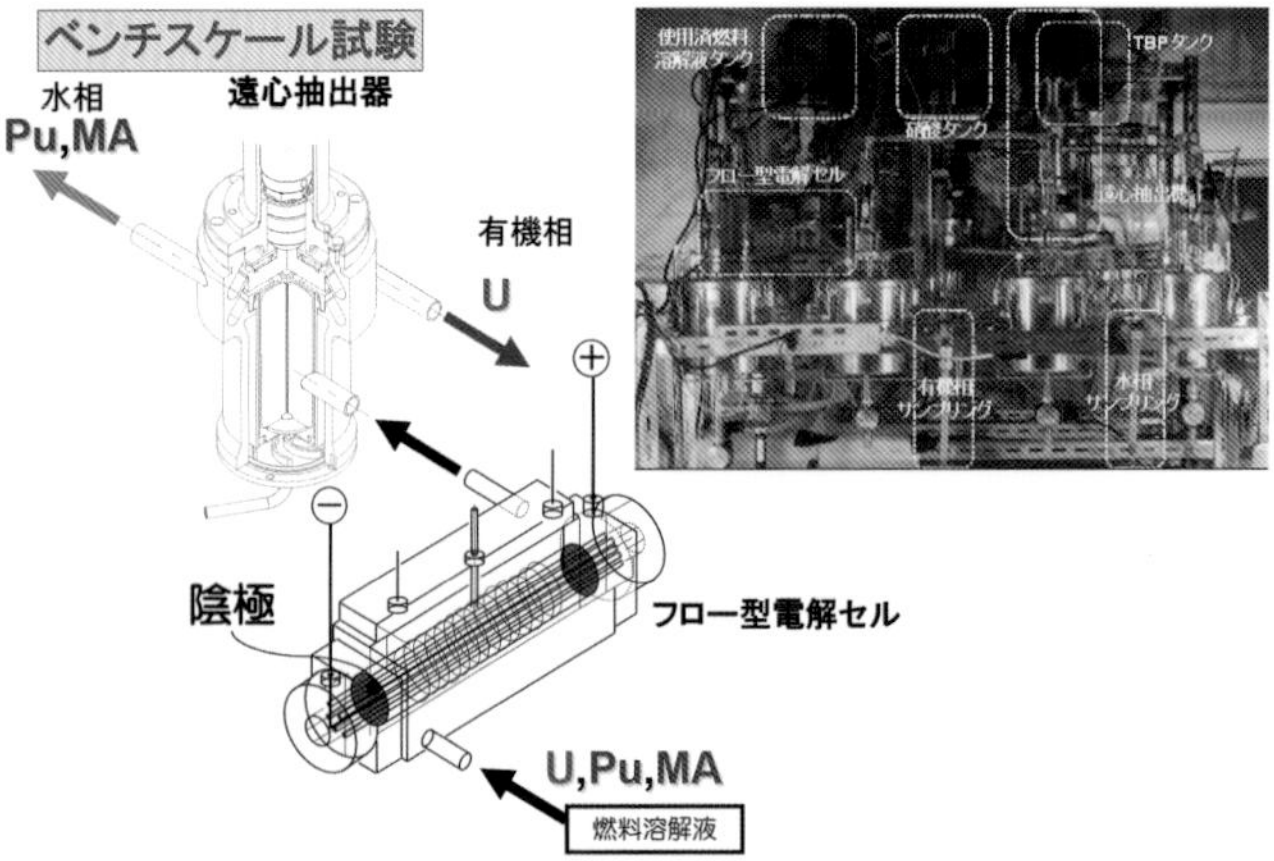


図17　実使用済燃料溶解液を用いた試験装置[14]

実使用済燃料溶解液を使った試験の試験条件およびプロセスフローを図18に示す。このような条件でベンチスケールすなわち有意量の実使用済燃料溶解液を用いた試験を行った。有意量の実使用済溶解液を用いることにより、分析精度を上げると共に、工学規模の予備的なデータを取得することを目的とした。

試験結果を図19に示す。まず、実使用済燃料溶解液から有機溶媒中にウラン（U）を抽出できる割合は65％である。一方、抽出したUに含まれる不純物は濃度としては$10^{-4}$、すなわち0・0001（0・01％）である。その中に含まれる不純物はプルトニウム（Pu）とネプツニウム（Np）、アメリシウム（Am）、キュリウム（Cm）などのマイナーアクチニド（MA）である。ここでは除染係数（DF）という数値で評価した。

例えば、Puではウランが含まれる溶媒中の割合が682分の1になる。同様に、Npでは37分の1、Amでは953分の1、Cmでは74分の1であった。このような試験を通し、このシステムで成立する範囲を求める。

$$\mathrm{DF} = \frac{\text{原料中（実使用済燃料溶解液）の濃度}}{\text{製品中（有機溶媒）の濃度}}$$

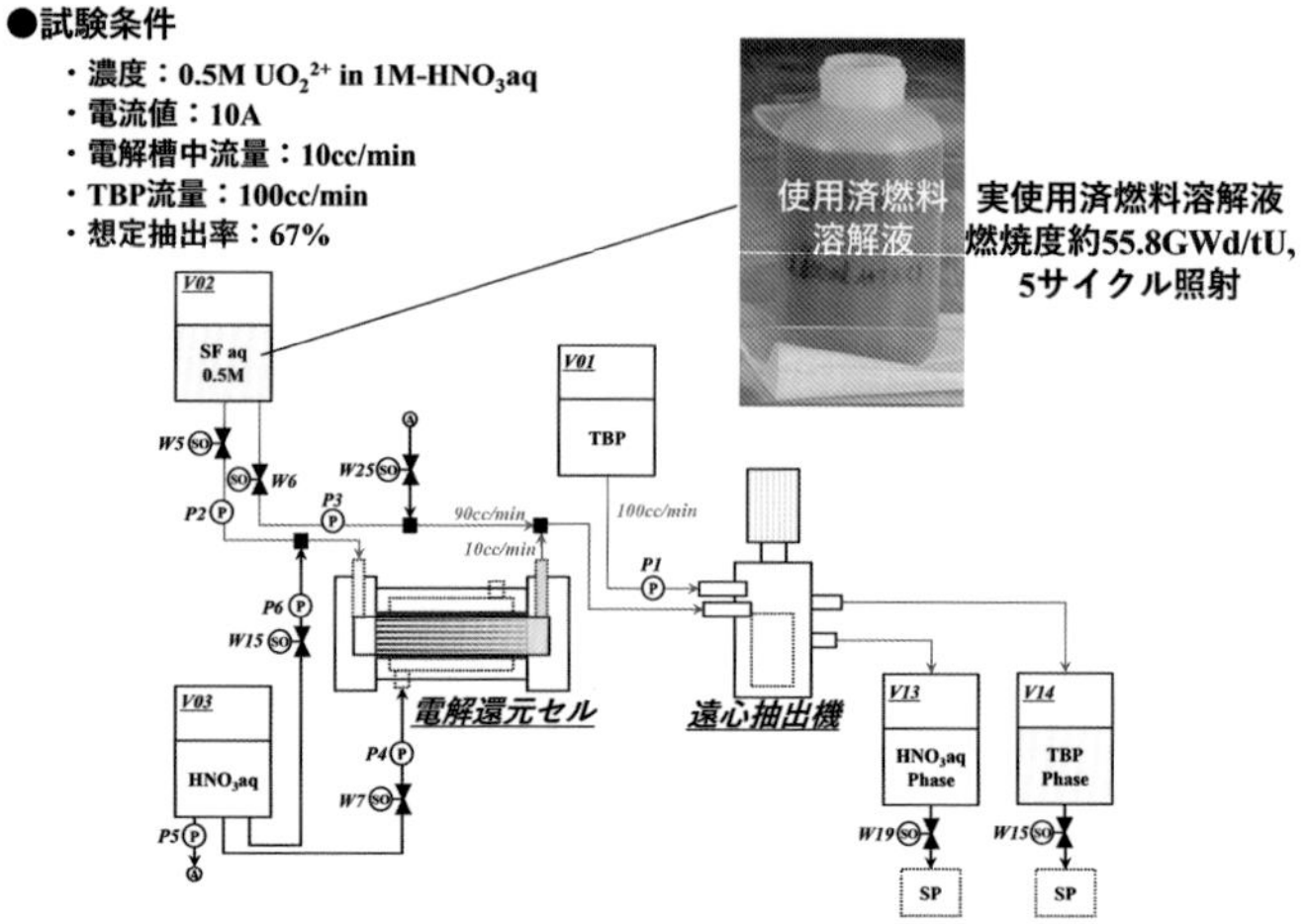


図18　実使用済燃料溶解液を用いた試験の試験条件[14)]

**●平均ウラン抽出率は６５％であり、ウラン試験同様に想定抽出率６７％で制御できることを確認**
**●各DFの最大値は以下の通りであり、高除染ウラン回収が可能**

**Pu：682**
**Np：37**
**Am：953**
**Cm：74**

**ウラン中不純物濃度：$10^{-4}$**

**●電解抽出装置を２～４基することで除染係数106の高除染ウランを回収でき、連続処理試験装置に於いて電解抽出法が成立することを確認**

今後
●電解還元装置の開発（最適化、スケールアップ因子の取得）

図19　実使用済燃料溶解液を用いた試験結果[14)]

残念ながら、この研究開発は東日本大震災の後の東京電力㈱福島第一原子力発電所の事故により、文部科学省の〝原子力システム〟公募事業が中止されたため、進展していない。

## 3 技術開発

基礎研究を行い、その原理が成立する範囲や条件を明確にし、予備的経済性評価が現状技術の1桁安価にできるという評価ができた場合、社会実装や実用化を目指した技術開発を行う。

技術開発の進め方は次のようである。

ここで重要なのは技術がどの範囲まで成立するかを把握する、すなわち明確にすることである。それには有意量の対象物質を扱うことも重要である。

また、その結果から組み立てるシステムでどこが一番遅いか、すなわち律速段階かを把握する必要がある。何故かというと、システムを実際に動かす際には処理速度が重要な要素になる。処理速度が早ければ経済性が良くなる。その工程の処理速度を上げるために装置を大きくし処理量を増大することにより律速段階を解消することが重要である。

その際にある程度の装置、例えば、前述のハイブリッド再処理技術でのベンチスケールと呼ばれる工学規模の装置、もしくはその一歩手前の大きさの実際の装置（実機）の何分の1かの装置を用いるとより正確なデータが取得できる。

装置についてはもう1点、スケールアップという装置の拡大の際に重要なポイントがある。装置のスケールアップには装置の種類によっては拡大の法則がある。すなわち、固定因子と変動因子があり、何が固定因子や変動因子になるかを

**研究開発の流れ**

**基礎研究**

**5.** **原理の確認**
**性能の評価**

**6.** **プロセスの選定、システムの構築**

**7.** **経済性評価（予備）**

死の谷（Death Valley）

**技術開発**

**8.** **技術の成立条件の明確化**

**9.** **装置化**
律速段階？

**10.** **スケールアップ因子の把握**
固定因子？

例え、導入技術であっても、成立条件とスケールアップ因子は把握できていますよね

**開発するすべての技術に不可欠**

図20　技術開発の進め方

把握することが失敗なくスケールアップを行うコツでもある。例えば、前述したハイブリッド再処理技術[12]で使う電解装置では、陽極と陰極の間の距離（電極間距離）や陽極と陰極の面積の比は装置を大きくしても一定にする（固定因子）必要がある。一方、この場合は還元反応が主反応であるので陰極の面積は処理量に合わせて大きくする方が効率を良くすることができる（変動因子）。

このようなデータを取得して初めて社会実装、実用化が可能になる。

**ウラン抽出残液からレアメタルの回収技術**[10〜12]

技術開発の進め方をレアメタルの回収技術の開発を例に取り紹介する。前述したようにレアメタルの回収では、ウランを採掘した後の残液（ウランの抽出尾液）からレニウム（Re）を回収するが、基礎試験によりReの回収の基礎データを取得した後、復極式の電極を用いる電解槽の成立性を検討した。その結果、実機の電解槽として図21に示すような装置を提案した。すなわち、10kg／年の電解装置10基を用いて年間100kg／年のプラントを設計した。

前述したが、ウラン抽出尾液からレアメタルを回収する技術[10]で使用した電解装置のスケールアップでは、陽極と陰極の間の電極間距離や陽極と陰極の面積比は固定因子と言って、装置が小さくても大きくても一定にした。一方、電解装置の大きさや容量は処理量に依存して大きくする変動因子である。

　また、電解に限らず、装置の大きさや容量を決めるためには、市場の動向などを加味するが、その技術を生産性のあるものにできるかどうかは企業にとっては判断を間違うと事業の成功、失敗にも関わるので見極めが重要である。また、スケールアップにも装置そのものを大きくした方が経済性が良くなる場合と、ある一定の大きさの装

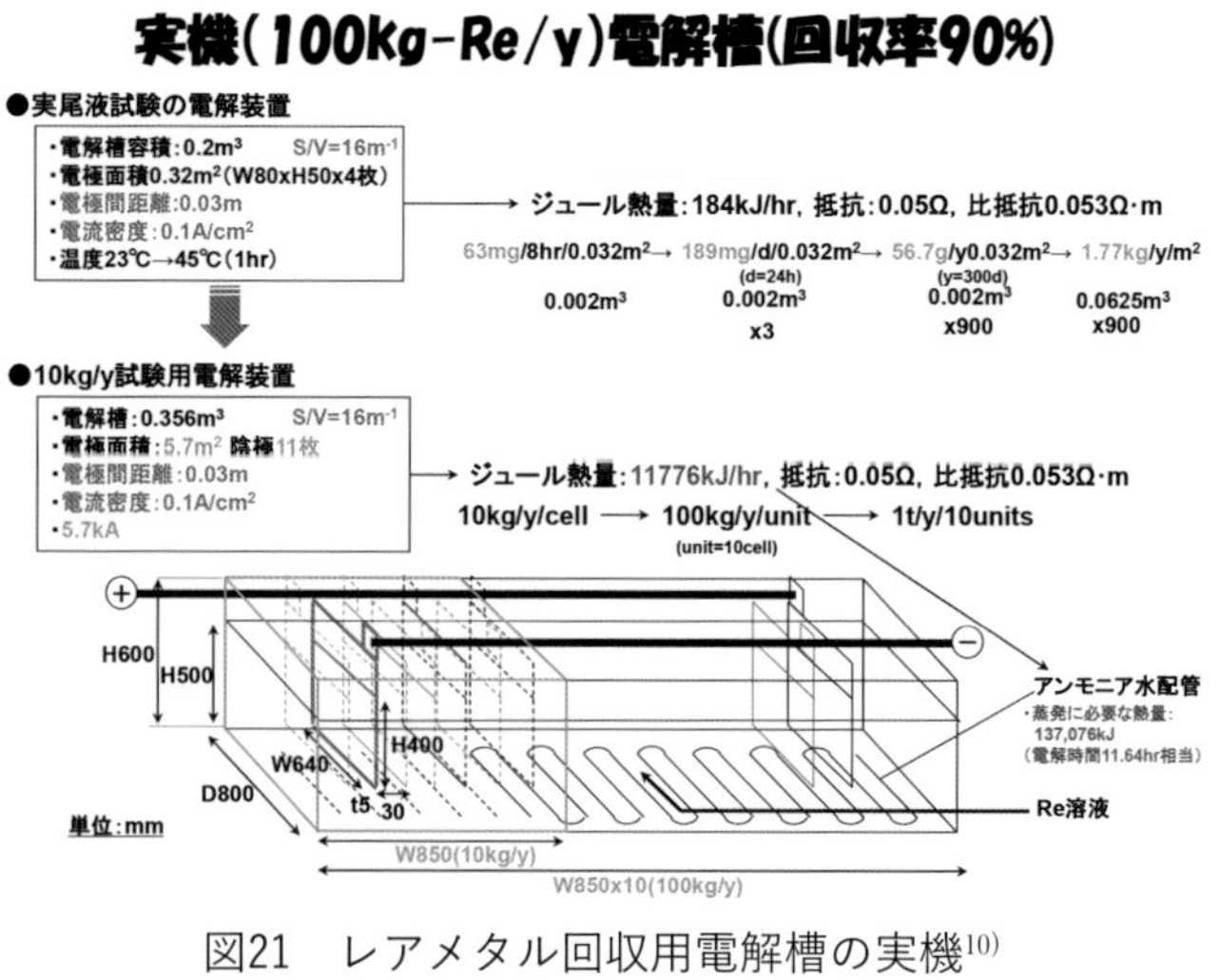


図21　レアメタル回収用電解槽の実機[10]

置を多数配置して容量を大きくするモジュール式の方が良い場合があるので、その判断も事業にとっては大切である。

この時点で初めて詳細な経済性評価ができるようになる。レアメタルの回収技術ではこのプラント概念を用いた経済性評価を行った。詳細な内容はここでは企業秘密になるので申し上げられないが、結論から言うと、年間１００kgのプラントならば採算が取れるが、それ以下の規模では取れないということが分かった。カザフスタン共和国で㈱東芝が持っていたウラン鉱山権益はそれほど大きくなく、フランスのＡＲＥＶＡ社（当時）がカザフスタン共和国で持っていたウラン生産量８０００トン／年ならば十分に経済性が成り立つ規模であった。

## ４ 社会実装、実用化はどう進めるか？

前述したように、技術開発がおおよそ成立した際に実施する経済性評価によって、その先の社会実装や実用化を進める判断をすることになる。

実用化研究の進め方を図22に示す。

実用化研究では実規模装置の概念設計を実施する。概念設計を行うとかなり正確な経済性評価を実施することができるようになる。この経済性評価により、実用化を進めるかの判断をすることができる。


レアメタルの回収技術の場合の社会実装の可否をどう判断したかを紹介する。

社会実装するかどうかの最終判断はこのプラントの損益分岐点を評価する。

まず、実プラント用に設計した前提条件の確認と、何処にこの設備を設置するかを評価する。

レアメタル回収プロセスの現状を図23に

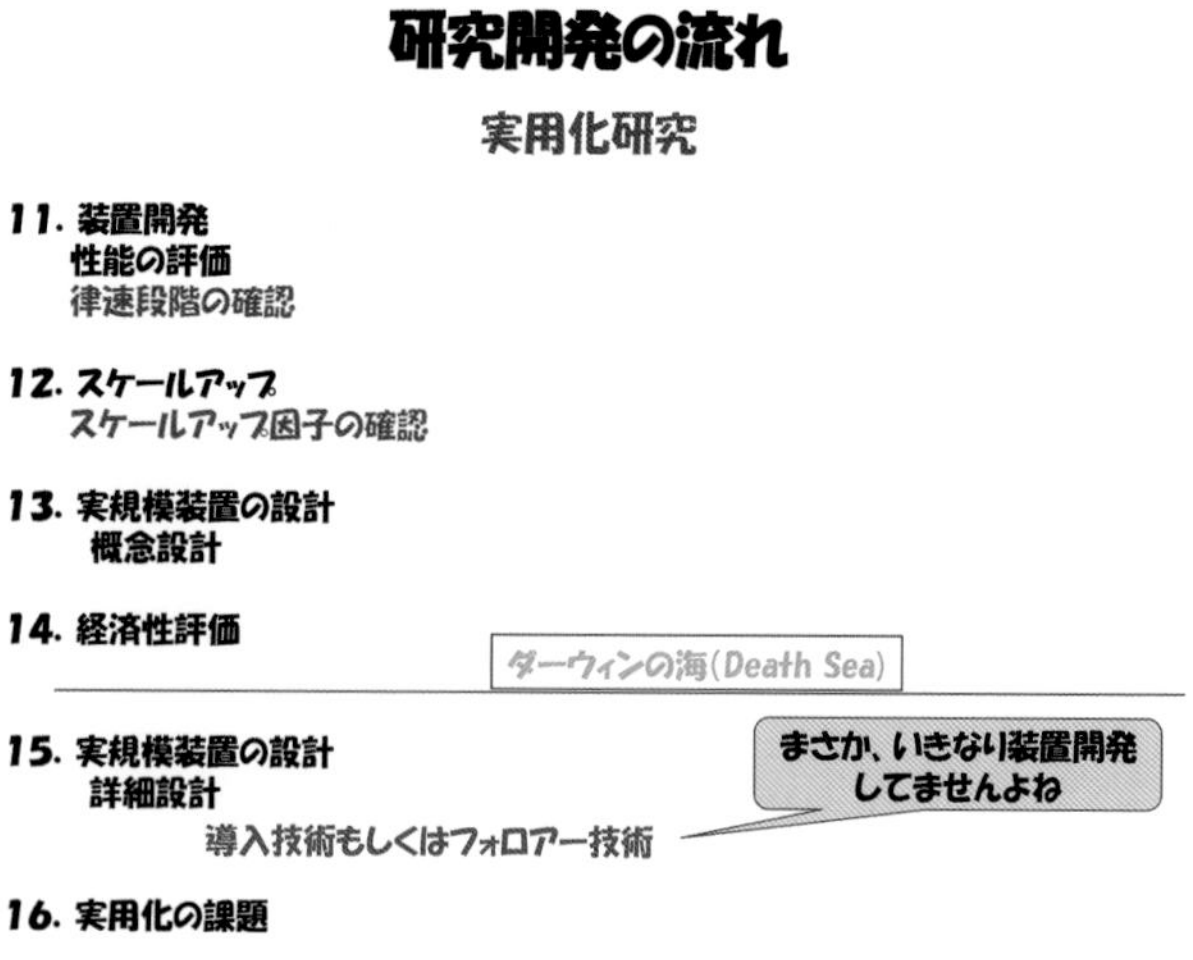
研究開発の流れ
実用化研究
11. 装置開発
性能の評価
律速段階の確認
12. スケールアップ
スケールアップ因子の確認
13. 実規模装置の設計
概念設計
14. 経済性評価
ダーウィンの海(Death Sea)
15. 実規模装置の設計
詳細設計
導入技術もしくはフォロアー技術
まさか、いきなり装置開発
してませんよね
16. 実用化の課題

図22　実用化研究の進め方

示す。ウラン回収プラントに併設するプラントを設計した。

前提条件であるが、抽出尾液中のRe濃度は適用を考えていたウラン鉱山では、再度の測定で当初の10分の1の濃度であった。また、ウラン鉱山の大きさを評価すると、当時、東芝が権益を持っていたウラン鉱山では100kg/yのプラントの設置は難しいことが分かった。損益分岐点は10kg/yと100kg/yの間にあり、ちなみにフランスのAREVA社（当時）がカザフスタン共和国に持っていたウラン鉱山の権益ならば、十分ペイする規模であった。すなわち、実機プラントを設計する前にダーウィンの海を渡ることができなかった。

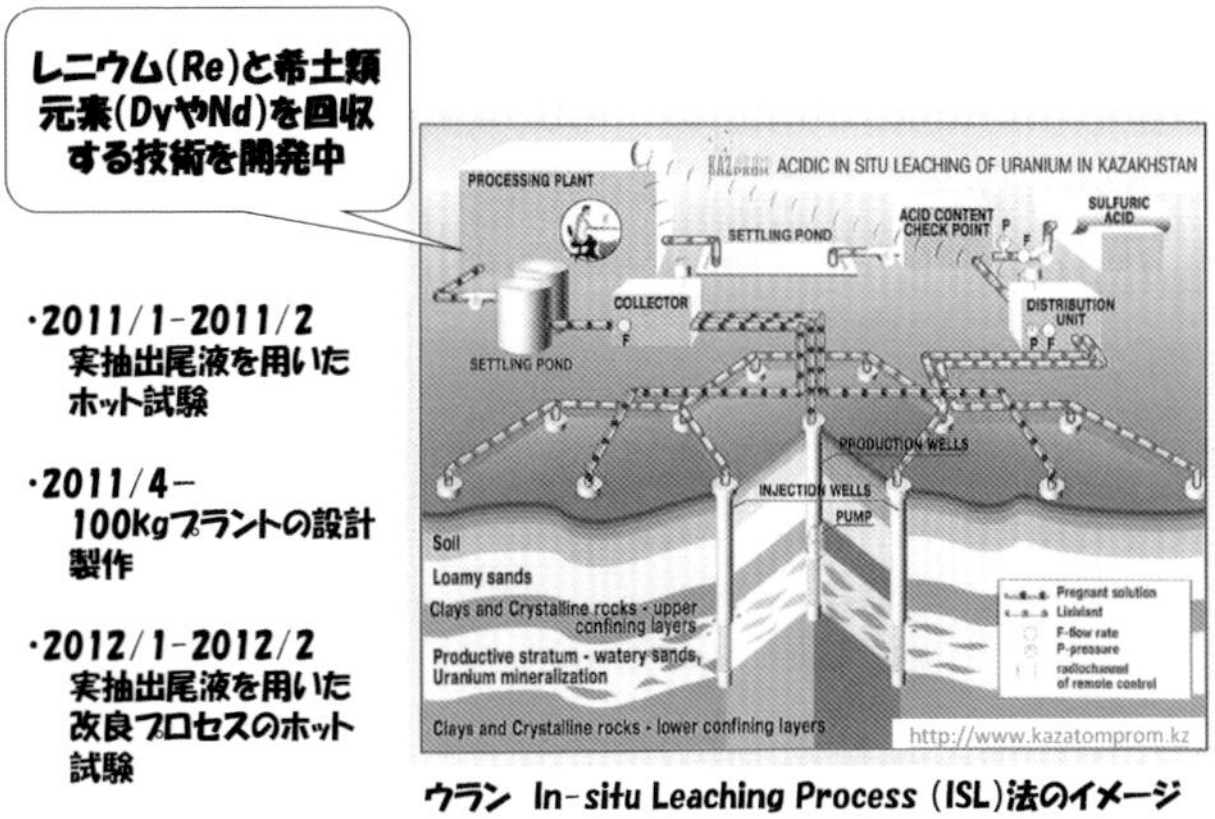


図23　レアメタル回収プラント概念[10)]

## 5 実用化開発（製品化）

ダーウィンの海を渡ることができた、すなわち、経済性評価で行けるとなった場合は実プラントを設計することになる。

原子力のような重電分野では処理プラントの建設となるが、半導体のような多数の製品を市場に出す場合は製造プラントの建設をすることになる。

### 1　パイロットプラントの建設

重電分野では、まず、概念設計を行う。概念設計前後で経済性評価を実施し、実用化の可能性があると見通すことができれば、詳細設計を実施する。

詳細設計に基づき、まずはパイロットプラントを建設する。パイロットプラントは実機の施設の何分の1かの大きさのものが一般的である。パイロットプラントはプラント全体を何分の1かにスケールダウンした装置である場合もあるし、実機の施設の一部を切り出した形の何分の1かの装置である場合もあり、どちらを取るかはそのプラントの性質に依存する。
例えば、流動が需要なプラントでは円柱形の装置の6分の1、60度分だけを切り出した施設のパイロットプラントを設計、製作する。このパイロットプラントを運転し、パイロット試験を実施する。パイロット試験の実施により、課題を抽出する。その課題をR&D項目として試験し、解決策を策定し、施設の設計に反映する。パイロット試験により、装置としての課題を解決し、実機プラントを設計することができる。

例えば、復極式電解装置は電解装置の一部を切り出す形でパイロットプラントを製作し、この装置を用いた操作試験を実施し、課題を抽出する。

また、実機の全体を何分の1かにスケールダウンした装置を採用する場合は、システム全体の機能が必要となる反応炉がある。原子炉もこの分類に属する。実機の何分の1かのパイロット原子炉を製作し、そのプラントを動かすことによって、課題を抽出し、解決するための実用化研究を実施する。この場合、前述したように、スケールアップ因子が正確に把握できているかどうかがパイロット装置を用いた試験が成功するかどうかを左右する。すなわち、スケールアップ因子の固定因子と変動因子が正確に把握されていないと、課題が正確に抽出されない。

円筒型多極式電解装置はこちらの形のパイロットプラントが適している。以前、溶融塩を用いた電解槽で固定因子の陽極と陰極の面積比を固定せずにスケールアップ装置を製作した。この装置を用いて試験を実施したところ、小規模と同様の成果が得られず、よく調べてみると、固定因子を変動させていることが原因であることが分かった。

実用化開発は個々の企業が実施するものなので、企業秘密が多く含まれる。ここでは細述しない。

1件だけ、実プラントの設計を実施した筆者の拙い例を紹介する。

## 2 ウラン抽出尾液からレアメタル回収技術[10〜12]

この場合も製造プラントコストの規模によって損益分岐点が異なる上に、製品の価格が変動することから社会実装を判断する要素はかなりある。また、製品サイクルや寿命も考慮する必要があり、ダーウィンの海を渡ることのできる経済性はかなり厳しく見積もられると考えた方が良い。

蛇足であるが、ウラン抽出尾液からレアメタル回収技術ではその後、Reの価格が1桁暴落した。すなわち、Reは希少金属ではあったが投機対象であったため、予想以上に価格が低下した。プラント規模で撤退したが、実用化に至らなくて良かったと考えている。

ウラン抽出尾液からレアメタル回収技術では、図21に示した装置の一部を切り取った装置をパイロット装置として製作し、操作試験を実施する。この操作試験から課題を抽出し、実機の設計に反映する。前述したように経済性が成立しなかったために実機パイロットプラントは製作しなかったが、多くを学ぶことができた。

さらに蛇足で恐縮であるが、このウラン抽出尾液からレアメタル回収技術の記事が２０１０年11月29日の『日本経済新聞』の朝刊に掲載された[21]。そのころ、中国がレアメタルの輸出を禁止するという衝撃的なニュースが伝えられた時期であったせいもあり、東芝の株価が上昇した。このような別な副作用もある。社会のニーズに応えた証拠？かもしれない。

なお、東芝がKazatompromと合弁会社を設立したことは２０１０年６月３日の『日本経済新聞』に掲載されていた[22]。

# 5

# おわりに

研究者という職業は本来、とても魅力的な職業だと思う。

研究者という職業は自分でアイデアを練り、出口像を創り、それを実現するための研究計画を立て、一歩、一歩、研究を進めていくという、自己実現できるとても魅力的な職業である。特に研究機関や大学ならば、提案したアイデアに予算を付けてくれるスポンサーを探し、夢を実現していくことができる。

筆者の場合は予備的な基礎研究の予算は社内で調達したが、その後の基礎研究は公募型の研究費を取得し、研究を実施してきた。基礎研究により成立性が確認できた場合は設計部門が社外への市場開拓や提案を実施してくれた。企業でも社外研究費を獲得できれば、研究者としてとても充実した生活ができる。また、社会実装という目的があることから社会への貢献という意味でも魅力的である。最近、研究者を目指す若い方が減っていることが気にかかっている。基礎研究は科学技術立国の土台であり、資源が少ない日本にとっては極めて重要である。

若い方々には是非、この魅力ある職業にチャレンジして欲しいと思う。

昨今、コロナ禍でワクチン開発や治療薬の研究開発が世界中で進められている。ニーズは明確であることからどのシーズを選ぶかが焦点であるが、未知のウイルスであるため、おそらく複数の候補があり、患者の体質によって選ぶことができる可能性もあることから、発展が期待される。

また、ニーズは刻々と変化する。そのニーズに応えていくことが研究者の使命であり、ミッションである。ニーズは至るところにある。世の中に貢献できるという点でも是非、多くの若い方々に研究者を目指して欲しい。

## 謝辞

研究開発は一人ではできない。多くの若手研究者と共同で進めてきたが、遠田正見氏、赤井芳恵氏、中村等氏、水口浩司氏、金村祥平氏、高橋優也氏に書面を借りて改めて感謝申し上げる。

## 参考文献

1）藤田玲子、森末哲夫「レドックス除染技術の開発とその展開」『原子力工業』33（12）、60～65頁（1987）
2）藤田玲子、遠田正見、森末哲夫「放射能汚染金属の除染装置」特許第1851903号（特公平5－65838）（1993年9月20日）
3）藤田玲子、遠田正見、長谷川裕、森末哲夫「放射能汚染金属の除染装置」特許第1851904号（特公平5－65839）（1993年9月20日）
4）藤田玲子、遠田正見「除染液の生成・再生方法」特許第1861870号（特公平5－72558）（1993年10月12日）
5）藤田玲子、赤井芳恵「乾式法による溶融塩電解精製技術について―高レベル廃液からのTRU元素回収技術の開発―」『溶融塩および高温化学』39（2）、112～123頁（1996）
6）藤田玲子「高レベル放射性廃液の群分離方法」特許第2809819号（特願平2－154021）（1998年7月31日）
7）赤井芳恵、藤田玲子「超ウラン元素のシュウ酸塩を塩化物にする方法」特許第

3319657号（特願平6－174286）（2002年6月21日）
8）藤田玲子「核変換による高レベル放射性廃棄物の大幅な低減・資源化―成果の概要―」『電気評論』2020増刊、45～53頁（2020）
9）藤田玲子、大津秀暁、松崎禎市郎、櫻井博儀、下浦享、水口浩司、大井川宏之、小澤正基、仁井田浩二「放射性廃棄物の処理方法」特許第6106892（特願2015－057179）（2017年3月17日）
10）藤田玲子、金村祥平、大里哲夫、水口浩司、川辺晃宏「東芝のカザフスタンにおけるレアメタル回収について」『日本ガスタービン学会誌』2011（7）（2011）
11）Shohei KANAMURA, Koji MIZUGUCHI, Reiko FUJITA, Naruhito KONDO, "Electrodeposition of Rhenium Species at a Stainless Steel Electrode from Acidic, Neutral, and Alkaline Solutions", *J. Electrochem. Soc.*, **161**(3) D92 (2014)
12）金村祥平、水口浩司、中村等、藤田玲子、宇都宮一博、川辺晃寛、野村俊自、矢澤孝「レアメタル回収方法」特許第5574910（特願2010－233522）（2014年7月11日）
13）Reiko FUJITA, Koji MIZUGUCHI, Kouki FUSE, Michitaka SASO, Kazuhiro UTUNOMIYA, Kazuo ARIE., "Advanced Hybrid process with Solvent Extraction and Pyro-chemical Process of Spent Fuel reprocessing for LWR to FBR", *Proceedings of 16th pacific Basin Nuclear Conference (16PBNC), Aomori, Japan, Oct.13–18, 2008*, P16P1205 (2008)

14 ) Koji MIZUGUCHI, Shohei KANAMURA, Hisao OHMURA, Takashi OMORI, Reiko FUJITA, “Development of Hybrid Reprocessing Technology Based on Solvent Extraction and Pyrochemical Electrolysis”, *J. Nucl. Sci. Technol.*, 48(4), pp597–601 (2011).

15）藤田玲子、水口浩司、布施行基、中村等、川辺晃寛、宇都宮一博「使用済み燃料再処理方法」特許第５１９３６８７（特願２００８－１４３４３１）（２０１３年２月８日）

16）Reiko FUJITA, Hitoshi NAKAMURA, Koji MIZUGUCHI, Mitsuyoshi SATO, Takayuki SHIBANO, Yasuhiko ITO, Takuya GOTO, Takayuki TERAI, Satoru OGAWA, “Zirconium Recovery Process for Spent Zircaloy Components from Light Water Reactor (LWR) by Electrorefining in Molten Salts”, *Electrochemistry*（電気化学）, **73**(8), pp751–753, (2005).

17）Reiko FUJITA, Hitoshi NAKAMURA, Keiko HARUGUCHI, Ryota TAKAHASHI, Mitsuyoshi SATO, Takayuki SHIBANO, Yasuhiko ITO, Takayuki TERAI, Satoru OGAWA, *The proceedings of International Congress on the Advances in Nuclear Power Plants (ICAPP), Souel Korea, May 15–18, 2005*, 5686 (2005).

18）藤田玲子、中村等、春口佳子、高橋陵太、宇都宮一博、佐藤光吉、伊藤靖彦、後藤琢也、寺井隆幸、小川覚「ジルコニウム廃棄物のリサイクル技術の開発」『日本原子力学会和文論文誌』６（３）、３４３～３５７頁（２００７）

19）藤田玲子、中村等、水口浩司、廣瀬恵美子、芝野隆之、夏井和司、松本浩一、林田芳久「ジルコニウム廃棄物のリサイクルシステム」特許第３９４０６３２号（特願２００２－

15267１）（2007年4月6日）
20）"Unlocking the Future (1998)", L. Branscomb議会証言（2001）、C. Wessner ＯＥＣＤ講演資料
21）『日本経済新聞』2010年11月29日朝刊
22）『日本経済新聞』2010年6月3日朝刊

藤田　玲子（ふじた　れいこ）

東京工業大学大学院総合理工学研究科博士課程修了（理学博士）。株式会社東芝入社（原子力技術研究所）。次世代の使用済燃料の乾式再処理技術の研究者。㈱東芝電力システム社首席技監を経て内閣府ImPACT「核変換による高レベル放射性廃棄物の大幅な低減・資源化」プログラムマネージャー。日本原子力学会会長（第36代）。福島県除染アドバイザーなど。

**研究者は天職！**

— 基礎研究、研究開発はどう進めるか？ —

2023年４月28日　初版第１刷発行

著　　者　藤田玲子
発 行 者　中田典昭
発 行 所　東京図書出版
発行発売　株式会社 リフレ出版
〒112-0001　東京都文京区白山 5-4-1-2F
電話 (03)6772-7906　FAX 0120-41-8080
印　　刷　株式会社 ブレイン



ISBN978-4-86641-621-2 C0095
Printed in Japan 2023